Scrittori italiani e stranieri

Ilaria Bernardini

Faremo Foresta

ROMANZO

MONDADORI

Illustrazioni di Flaminia Veronesi

librimondadori.it
anobii.com

Faremo Foresta
di Ilaria Bernardini
Collezione Scrittori italiani e stranieri

ISBN 978-88-04-68566-1

I edizione gennaio 2018

Anno 2018 - Ristampa 2 3 4 5 6 7

Faremo Foresta

Il ricordo, come la percezione, non è un recupero passivo, ma un processo attivo e creativo che coinvolge l'immaginazione.

SIRI HUSTVEDT, *Vivere, pensare, guardare*

Ogni cosa è illuminata!

SANT'AGOSTINO, SAFRAN FOER, JOVANOTTI *e molti altri*

In un giorno qualunque, nella corsa del tempo, nel corso del tempo.

MIO PADRE, *inciso dietro un orologio regalato a mia madre*

Questa è una storia vera, per come la ricordo io.

Siccità

«Dov'è tuo padre?» mi chiede a Londra la cartomante. Indossa un golfino di ciniglia rosa sopra grosse tette a punta. «Vedo tuo nonno ma non vedo tuo padre: sei qui per raccontarmi quello che ti è successo?» Annuisco. Faccio no con la testa. Annuisco di nuovo. La cartomante chiede della mia vita usando varie parolacce e molti sorrisi mentre tremo con in mano un quarzo rosa da dodici chili.

Sono arrivata qui spinta dal mio nuovo fidanzato, che la trova simpatica e pensa mi possa aiutare. Io anche la trovo simpatica ma sono distratta dal fatto che è molto più bella di come me l'ero aspettata. Tutto questo rosa poi non aiuta. Le dico che forse non scriverò mai più e che, dopo il disastro, anche amare è diventato pauroso. Non sono neanche certa che le piante del terrazzo resisteranno al prossimo inverno. E noi con loro.

«È solo paura» mi dice lei. «La risposta veloce sarebbe comunque sì. Sì a tutto.»

«Sicura?»

«Prima e ultima volta che puoi chiedermi se sono sicura.»

Abbozzo e accarezzo il quarzo rosa come fosse un gatto.

«Cosa succede?» mi chiede la cartomante.

«Il sasso non fa le fusa» le dico. Sorride. Ha un dente d'oro o forse ce l'ho io.

«Sei pronta?» insiste lei. Anche i suoi capezzoli chiedono conferma. «Torniamo indietro?» Io allora annuisco all'universo intero, chiudo gli occhi e provo a tornare indietro. A scegliere un giorno importante. Un giorno della mia vita anche recente, dove staranno per sempre insieme un aneurisma cerebrale, la fine del più grande amore e un orribile incidente frontale. E quando scelgo di stare nel pieno del disastro, subito mi perdo. La stanza sparisce, la cartomante, la ciniglia e le tette anche spariscono. Io non sono a Londra e io non sono soltanto più io. Il quarzo rosa non ha più peso, la casa non ha più muri: c'è solo caldo. Luce. Deserto.

In quello che per molto tempo ho chiamato il giorno del disastro, la città era calda.

Alle due, quando la temperatura era ormai insopportabile, sono andata alla galleria d'arte di mia madre. La galleria è nella periferia di Milano, vicino all'autostrada e il quartiere è povero e di confine. Un tempo, quegli stessi metri quadrati erano stati la stamperia di mio nonno.

Sotto il sole e sola nell'universo, leggevo le scritte sui muri e contavo le cicche per terra pur di non entrare. C'era siccità in tutte le cose del mondo e anche nella mia bocca e anche nel mio cuore. Quando mio nonno mi portava in fabbrica erano invece tempi floridi, pieni di rugiada, di piante fiorite e lui mi regalava libri freschi di stampa. Li sputava fuori la Roland Ultra, una macchina ai miei occhi immensa e che sembrava un elefante. Sono libri che non ho mai più aperto. Sotto quel cielo e davanti alla fabbrica, li avrei voluti tutti di nuovo per me e per mio figlio Nico. Per ricordarmi di come quel tempo fosse facile: bastava stare a braccia aperte, tenere i palmi in su. Bastava tenere la lingua fuori. La pioggia sarebbe caduta, ci avrebbe dissetato. Ora i libri li avrei voluti soprattutto per piangere, i motivi sarebbero stati i soliti e insieme alla fatica di oggi li avrei mischiati al ricordo di come mio nonno ci amava. Mi avrebbe anche fatto piacere sapere di non avere perso così tante cose, essere stata capace di avere più cura di noi e dei nostri oggetti. Avevo perso troppi libri, penne, amori, tantissimo tempo. Quelle copertine a sfiorarle e quelle pagine ad aprirle avrebbero fatto riapparire tutto.

Quando il telefono ha squillato, ho controllato che non fosse un numero che avesse a che vedere con Nico e visto che non lo era non ho risposto. L'ho ficcato nella borsa e ha squillato di nuovo. Ho messo su muto con il dito senza ricontrollare. Mio figlio Nico al tempo aveva quattro anni. Era un bambino gentile e dolce, molto magro e che somigliava a come mi ero sempre immaginata Pinocchio quando diventa umano. Furbo, bellino e un poco malinconico. Dovevo stare attenta a Lucignolo, al gatto e alla volpe e a tutti i dolci che regalavano nelle favole i cattivi. Io a turno ero Geppetto o la fata turchina, a seconda se mi sentivo vecchia e baffuta o bellissima e magica.

«Senti la mia voce?» urla la cartomante da Londra. Faccio sì con la testa. O forse non lo faccio perché lei aggiunge un altro paio di parolacce e così annuisco con più forza. «Raccontami» dice ancora. «Scrivi per me!»

Ho fatto un passo epico, come per raggiungere la luna, per entrare nel cortile della galleria e dentro il mio presente e dentro il mio passato. Ho visto Maria, l'assistente di mia madre. Maria era anche un'amica di mia sorella Diana e la conoscevo da sempre. Quando mi ha sorriso ho deciso che potevo rimanere. E comunque non avevo scelta, ero stata scoperta, c'erano dei testimoni. Ho salutato Maria, le ho dato due baci e ho scambiato qualche parola con lei. Con le amiche delle mie due sorelle e di mio fratello, i rapporti erano stati tutti sempre così. Qualche parola, aggiornamenti veloci, due baci. Maria aveva la faccia stravolta ma non me ne sono occupata. L'ho registrato e non rilevato se non molto tempo dopo, quando tutto ha cominciato a essere significativo e ogni occhiaia e ogni goccia di sudore ha cominciato a raccontare la fine del mondo per come l'avevamo conosciuto.

Sono salita nell'ufficio di mia madre e abbiamo parlato della mia vita: stavo per lasciarmi con mio marito, avrei cambiato casa e dovevamo dirlo a nostro figlio Nico.

Lei mi ha scrutata e mi ha detto qualcosa a proposito del mio non essere mai soddisfatta. Ha aggiunto altro sul povero bambino. L'ha chiamato proprio così, "quel povero bambino". Io l'ho visto povero, con le ginocchia sbucciate, senza ciccia sulle braccia. Mia madre aveva sessantadue anni, io trentaquattro.

«Hai la faccia corrucciata» mi dice la cartomante a Londra.

«Sto interpretando mia madre quando è severa» confermo io.

Mia madre aveva avuto quattro figli, aveva fatto l'editrice e la giornalista. Aveva poi lasciato tutto per occuparsi delle cose di mio nonno quando lui era morto. Occuparsene non le era piaciuto. Era stato difficile, solitario e aveva interrotto il resto dei suoi desideri. L'aveva fatto perché era figlia unica, mia nonna non aveva mai lavorato e la situazione rimasta era complicata. Nel frattempo era riuscita a costruire per sé una galleria d'arte dentro gli spazi della stamperia. Anche quello però si era rivelato un lavoro solitario e faticoso. L'edificio era distrutto, fuori norma e senza riscaldamento. La città poi era immobile. I soldi per rimettere a posto la galleria non c'erano e ora mia madre sosteneva che la svolta sarebbe arrivata trasformandolo in un locale per giocare a ping-pong. Voleva chiamarlo Pong.

Dietro le spalle di mia madre mi guardavano la foto di mio nonno insieme a decine di foto e opere di artisti. In una stampa in bianco e nero una donna con le braccia aperte e candele che le si scioglievano sulle spalle mi dava la schiena.

«Come si chiama questa artista?» ho chiesto a lei e a tutti i fantasmi della stanza. Mia mamma è rimasta in silenzio. Non ricordava il nome anche se lo sapeva benissimo. Mi sono chiesta se rimaniamo in silenzio per sempre le candele si consumeranno? Le fiammelle bruceranno la pelle dell'artista poi la stampa e infine la stanza e noi? Finalmente il nome le è venuto in mente e l'ha quasi urlato. Ho annuito. Lo sapevo anch'io e l'avevo dimenticato anch'io. Le candele sono rimaste accese e le fiammelle tese verso il soffitto. Avrei voluto soffiare.

«Se dimentico tutto lasciami su una spiaggia a camminare» ha detto mia madre. Lo ripeteva sempre e da sempre aveva la stessa idea che prima o poi avrebbe dimenticato tutto e perso la ragione. Forse avrebbe quindi dimenticato anche questa conversazione e a quel punto lasciarla su una spiaggia o in una via vicino a casa sarebbe stato uguale.

In quella stanza avrei voluto rubare. In special modo un trittico in bianco e nero nella sala riunioni. Erano isole fotografate da lontano, sparivano e apparivano. Anche a casa sua avrei voluto rubare. Fotografie. Lampade. Lenzuola più lisce. I cuscini per dormire più comoda. Le penne che scrivevano meglio e le nostre foto di quando eravamo piccoli. Ora non eravamo più piccoli e dovevamo ricordarcelo. Avevamo le nostre case, i nostri figli. Mia sorella più grande, Allegra, da vent'anni abitava lontano, prima in Francia, poi in Cambogia. Ora da tredici anni in Nuova Zelanda. Teo, Diana e anche io da qualche anno eravamo tutti tornati a Milano.

«Sei viziata. Probabilmente ho sbagliato io con voi bambine» ha detto mia madre.

«Abbiamo smesso di amarci» ho detto io.

«Tu vuoi sempre di più.»

«Gli altri vogliono sempre di meno?» Se usava la parola bambine io tornavo bambina.

«Hai capito cosa intendo.»

«Ora mi fai un esempio pratico di qualcuno che vuole sempre di meno.» Siamo rimaste in silenzio. Io bambina e lei madre di una bambina. «Mi regali quella foto con le isole?» le ho chiesto. «Non vogliamo più stare insieme, non è colpa di nessuno» ho aggiunto. Il cuore mi si è stretto. Tutti gli esseri viventi del pianeta terra, e io con loro e mia madre con loro, non avevano più da bere.

Sono uscita in cortile. Ho cercato l'acqua senza trovarla. Nella mia storia d'amore avrei potuto essere più forte. Resistere. Tra qualche anno forse tutto si sarebbe sistemato e allora questo dolore avrebbe avuto un senso assoluto, più grande della mia tristezza di oggi e più grande di noi. Se avessi resistito la vittoria sarebbe di certo stata più grande di qualsiasi fatica.

Mi sono seduta su una panchetta di legno. Maria si è seduta di fianco a me. Ci incrociavamo da anni, forse da sempre, ma anche se conoscevo la sua faccia e qualcosa della sua vita, per me era una sconosciuta. Aveva i capelli lunghi fino al sedere, la maglietta a maniche corte, pantaloni da maschio e l'aria di non curarsi troppo dell'abbigliamento o di apparire femminile. Anche da piccola era stata così. Da piccola, ho scoperto poi, Maria aveva anche amato molto i girini, i vermi e gli animali in genere. Scriveva schede con cui mappava gli esseri viventi. Aveva compilato per esempio la scheda del cane shar pei, di cui andava molto fiera. Maria disegnava sempre. Organizzava, studiava e di continuo riordinava con la sua penna il pianeta terra.

Maria quel pomeriggio non sapeva se andare alla galleria. Aveva da poco cominciato a lavorare anche in un orto e durante la mattina non si era sentita bene. Aveva preso molto caldo. Non riusciva a piantare tre piantine in fila e le era venuto il nervoso e il mal di testa. Lavorava all'orto anche per studiare la riproduzione degli ortaggi e in quei giorni, nella serra, si osservavano quaranta varietà di pomodori diversi.

Ho fatto l'Accademia di Belle Arti, mi occupo di arte e artisti e non riesco a mettere giù tre zinnie per bene, aveva pensato quel giorno. Era stata una prima della classe. Brava in tutte le materie, voti alti, precisa e puntigliosa sempre. Ma all'orto il caldo continuava a picchiare e così Maria si era bagnata la testa. Visto che il male non passava si era sdraiata su un muretto e aveva ascoltato certe anziane parlare. Non le piacevano quelle signore. Voleva che stessero zitte.

«Dicevano un sacco di cose stupide e razziste» mi ha spiegato poi.

Intanto aveva respirato e lasciato passare un'altra decina di minuti. Aveva pensato se mi sento meglio vado alla galleria, altrimenti amen. Si era sentita meglio e così aveva attraversato la città.

Maria, alla galleria di mia madre, voleva arrivarci soprattutto perché sapeva che Alessandro, il fidanzato di mia sorella Diana, nella notte aveva avuto un incidente in moto. Il giorno del disastro, quindi, era cominciato prima dell'alba con uno schianto frontale. Maria era spaventata e voleva capire se mia madre avesse qualche informazione in più. Di certo sapevamo tutti che Alessandro stava lottando tra la vita e la morte. Prima di entrare, prima di incontrare me e parlare con me, Maria aveva telefonato alla sua, di madre. Le aveva detto non voglio vivere in questa precarietà.

«Tutto sparisce così in fretta» aveva sussurrato.

«Devi vivere e basta» le aveva risposto lei.

Maria era quindi entrata e a quel punto dopo pochi minuti aveva visto me.

«E tu hai scelto di parlarmi di una macchina da stampa e di fotografie che vorresti rubare, prima di accennarmi a un incidente frontale in moto?» mi chiede la cartomante.

«Sto parlando?» dico io. Ho le labbra chiuse. Non ho usato la voce.

«Mi hai appena chiesto "sto parlando?", quindi stai parlando, bella mia» dice lei. Posa la sua mano sulla mia. Mio dorso, suo palmo. Mi mostra come accarezzare il quarzo. Seguo il suo movimento. È lento, continuo. All'improvviso strofina forte, veloce.

«Pulisci, Anna!» mi dice. E io comincio a pulire.

Sulla panchetta io e Maria abbiamo parlato di Alessandro. Mia sorella Diana e Alessandro erano fidanzati da quattro anni. Anzi, lui e mia sorella si erano appena lasciati di nuovo e lei era partita da due giorni per Berlino. Si erano lasciati altre volte e non era chiaro se questa sarebbe stata quella vera. A volte si lasciavano ma progettavano lo stesso di andare a scoprire le Filippine. O si lasciavano, baciavano altri e poi litigavano per avere baciato altri e tornavano ancora a parlare del viaggio nelle Filippine. Diana per ora non voleva fare bambini e non era sicura di nulla tranne dell'interesse condiviso per le Filippine. Dunque, era andata a Berlino.

Alessandro invece era rimasto in città. La sera era stato in un bar, il bar aveva chiuso e lui si era rimesso in moto. Erano le tre di notte, aveva preso una curva molto veloce e aveva incontrato una buca. La moto gli era sfuggita da sotto il sedere. Il casco gli si era sfilato. Lui era volato in aria e poi si era schiantato a terra. Questo almeno era quello che sapevo allora: Alessandro rischiava la vita, era in ospedale ed era in coma farmacologico. Lo stavano operando alla aorta.

«Ho paura» dico alla cartomante. Fermo la mano. Non voglio più pulire niente. Non voglio essere qui, non voglio strofinare un sasso. Non ho tempo per le idiozie o per le cartomanti.

«Sorridi» mi dice lei. «Sorridi anche per finta, sorridi anche male.» Così sorrido per finta. Male. Lei mi abbraccia o forse mi placca per non farmi scappare. Profuma di sapone di Marsiglia, curry e crema per il corpo. Non respiro.

«Abbracciami bene» dice. La abbraccio bene. «Abbracciami ancora meglio. Respira contro la mia pancia.» Cerco di respirare contro la sua pancia. Cerco di rilassarmi. La abbraccio meglio.

«Ok, brava. E ora torna indietro sul serio» urla dritto nell'orecchio. «Smettila di fare finta, fidati di me, cazzo!»

Notte da tutte le parti

Mentre alla galleria di mia madre parlavo con Maria di Alessandro, quel primo giorno, quando la sua vita stava per finire, quando abbiamo detto decine di volte la parola morte, tutto era sabbia, deserto, privo di radici e di senso.

"Non ci salveremo!" avrei voluto urlare. "Non voglio morire mai" avrei ribadito nel caso fosse servito a salvarmi.

Tutto stava per collassare, era solo questione di come e quando. Anche la città era brutta come non mai. E la fabbrica e l'estate. Noi e le nostre vite. La fine dei nostri amori. Il crollo delle borse, le meduse che invadevano i nostri mari e impedivano i tuffi. L'Italia che finalmente annegava e moriva nelle sue macerie. Il coma farmacologico di Alessandro e la nostra malinconia. Scrivere e fare uscire la propria voce nel silenzio generale. Vivere, amare. Bere l'acqua.

Mia sorella Diana intanto stava rientrando da Berlino. La notte prima per due volte non aveva risposto alla madre di Alessandro. Alla terza si era decisa e aveva ricevuto la notizia dell'incidente. Aveva mandato una cartolina a mio figlio Nico dall'aeroporto ed era salita su un aereo.

Di questo parlavamo io e Maria quando il mondo è imploso.

«Non mi sento bene» mi ha detto lei all'improvviso in quel cortile, nel paleocene, dove ci giocavamo per sempre l'esistenza di tutti i dinosauri. Era pallida e spaventata. Eravamo ancora sulla panchetta e attorno a noi c'era ancora la fabbrica di mio nonno. Il mondo, almeno nelle costruzioni di eternit e cemento, era ancora il mondo.

«Non sono il tipo che esagera in queste cose» ha detto Maria.

«Quali cose?» ho chiesto.

«Sto molto male» ha sussurrato.

Il battito del cuore mi è cambiato. Forse era colpa del caldo. Di quella sconfinata tristezza o della pelle di Maria che era diventata grigia e mi obbligava a chiedermi ancora se saremmo sopravvissuti a quell'estate. Non sapevo dire sopravvissuti a cosa, non solo agli incidenti e al nostro dolore ma a qualcosa di più grande di noi. A parte alla vita stessa, certo. Come i cani sentivo la sua malattia e anche la nostra. Non era panico, era tutto vero, un meteorite si stava abbattendo sulla nostra terra e stava per estinguere anche noi. Il mio corpo era l'allarme del disastro.

Maria mi ha poi raccontato che in quei minuti sapeva di stare morendo. Morire è così, ha pensato con chiarezza ma non l'ha detto perché era un pensiero talmente impossibile da gestire che non l'ha usato. Quindi invece di dire sto morendo ha detto: «Vorrei dell'acqua».

«La mia testa sta per esplodere» ha aggiunto.

«Vado a prendere l'acqua?» le ho chiesto. Ti tengo la testa per non farla esplodere? ho pensato. L'acqua esiste ancora?

«Chiama prima un'ambulanza.»

Così ho tirato fuori il telefono. Intanto mia madre è passata dal cortile e Maria ha cominciato a vomitare. Mia madre si è avvicinata a noi per capire cosa stesse succedendo.

«Ho freddo» ha detto Maria. Era sudata. I suoi capelli lunghissimi erano bagnati e le si appiccicavano al collo. La sua pelle era di un colore che in natura e in vita non esiste. Mia madre le ha arrotolato i capelli e li ha sollevati. Le ha passato un asciugamano umido sulle spalle, sul viso. Maria ha vomitato ancora. Era fragile, persa. Le abbiamo dato un cestino per il vomito.

«Non riesco a muovere il collo» ha sibilato.

Mia madre dice che di quella giornata ricorda il tremolio delle labbra di Maria. Io mi ricordo la luce del giorno che all'improvviso era come cambiata. Era notte da tutte le parti. Non capivamo più nulla, neanche bene le parole e il senso delle frasi. Mi ricordo di aver pensato che il cestino da carta diventa il cestino da vomito, come la sedia dove ti siedi diventa la sedia in cui poi muori, la fabbrica un deserto: una questione di funzione degli oggetti nella storia. Se poi mi avessero chiesto il sole c'è?, avrei sicuramente detto no, il sole non c'è.

«E tu invece ci sei?» mi chiede la cartomante.

«Tu mi vedi?» provo io.

«Devi esistere anche senza che io ti veda» ride lei.

Ho chiamato l'ambulanza e ho provato a spiegare alla centralinista che cosa stava succedendo. Ho detto che la ragazza aveva gli occhi bianchi. Vomitava. Aveva un mal di testa terribile.

«Ha ventinove anni» ho aggiunto.

All'inizio non erano convinti fosse un'emergenza e non so quale delle informazioni che ho dato ha fatto cambiare loro idea. Forse avere urlato ha aiutato. Forse no. La centralinista non mi ha chiesto se il sole c'era. O se tutti quel giorno avevamo paura della morte. Io non le ho chiesto come facesse lei, ogni giorno, in mezzo a quel terrore, a respirare. Non le ho chiesto il suo nome e ora non so il suo nome. Se avessi nominato anche lei ora le potrei dare una storia.

«Magari è un forte mal di testa» ha proposto la centralinista senza nome e quindi ora senza storia.

«Non riesce più a muovere il collo» ho urlato io. «Fa paura non muovere il collo!»

L'ambulanza ci ha messo quindici minuti ad arrivare. In quei quindici minuti ho capito molto bene la differenza tra la durata emotiva del tempo e il tempo effettivo dell'orologio. Tra avere paura di non muovere il collo e non muoverlo sul serio. Intanto Maria vomitava ancora e mia madre la aiutava, anche se era chiaro a tutte noi che non c'era molto che si potesse fare. Era qualcosa che non avevamo mai visto. Anche mia madre, che aveva avuto quattro figli, più amici e più anni a disposizione per vedere più dolore e più malattie di noi, questa cosa non l'aveva mai vista. Però cercava di calmarci come fanno le madri e come in special modo sa fare lei.

«Forse è una congestione» ha detto.

E ha provato a parlare di cose normali nel tentativo di distrarre Maria e di far tornare tutto semplice. Che caldo. Beviamo l'acqua troppo fredda. Anche lei a volte aveva dei mal di testa improvvisi e forse a Maria stava accadendo qualcosa di simile? Ascoltavo mia madre e speravo, anche se, per esempio, sapevo benissimo che non aveva mai avuto dei mal di testa improvvisi.

«Deve essere un colpo di caldo» ha proposto ancora.

Se non era il colpo di freddo poteva essere il colpo di caldo, giusto? Ha elencato varie altre possibilità e si è detta sicura che non fosse niente di grave. Con qualche lato di noi le credevamo, perché alle madri si crede. Soprattutto quando si ha la febbre e si ha bisogno di cure. Non si crede invece necessariamente alle madri quando si tratta di amore o doveri, ma di malattie e paure, tipo quella del buio e del dolore fisico, sì.

A quel punto Maria riusciva a malapena a parlare. Avevo con me una sciarpa leggera e larga, per via dell'aria condizionata che impazzava in giro per la città. Maria tremava e l'abbiamo avvolta in quella. Nel nostro deserto c'erano almeno trentacinque gradi. O forse trentacinque milioni.

«Vado a vedere se arrivano» ho detto.

Sono andata al cancello e mentre aspettavo l'ambulanza ho chiamato mio marito e gli ho spiegato cosa stava succedendo. Gli ho detto che avevo paura. In tutti quegli anni ogni mia paura l'aveva ricevuta lui e ogni sua paura l'avevo ricevuta io. Chi mi avrebbe consolata da domani? Per chi avrei scritto le mie storie? Maria stava morendo?

Quando gli infermieri sono arrivati hanno misurato la pressione di Maria. L'hanno fatta sdraiare sulla lettiga e le hanno chiesto se ricordava il suo nome e quando e dove era nata. Maria si ricordava tutto. Si ricordava che si nasce e nello specifico quando e dove era successo a lei.

«Mi esplode la testa» ha detto di nuovo. La sua voce era sempre più debole.

«Sei stata all'estero?» le ha chiesto l'infermiere più anziano.

«No» ha mormorato lei.

«Maria ha lavorato per qualche mese in un orto» abbiamo spiegato.

Gli infermieri hanno annuito come se avessero capito. Capito cosa? mi sono chiesta. Chi è Maria? Che gli orti fanno ammalare? I più giovani si sono coperti il viso con le maschere bianche e ci hanno chiesto di non starle vicino.

«Potrebbe essere meningite» hanno detto.

Mia madre di quel giorno ricorda anche le goccioline attorno alla bocca di Maria, unica acqua nella siccità.

«Erano moltissime, avevano una forma strana.»

«Tipo cuori?» ho poi chiesto io. «Stelle?»

«Non essere cretina.»

«Cos'altro ti ricordi?»

«Che per la tua abitudine alla paura e all'emergenza hai subito pensato che fosse qualcosa di grave. Tu hai sempre paura di tutto.»

«Pure tu» le ho detto io. «Ma ti piace fare finta.»

Quando gli infermieri hanno detto "meningite" io mi sono allontanata, e nel farlo mi sono sentita in colpa. Il mio primo pensiero è stato mio figlio. Il secondo sono stata io. Non vedevo più il dolore di Maria. Non sentivo più il suo pianto. Ho pensato solo alla mia famiglia.

Era questa la fine che da sempre immaginavo sarebbe arrivata troppo presto? Perché mi stavo lasciando con mio marito se tanto poi si moriva? Oppure, al contrario, perché mi preoccupavo di lasciarlo – potevo fare tutto, anche essere sola a partire da questo secondo – se tanto poi si moriva?

Maria è stata trasportata sull'ambulanza e mia madre le ha detto che l'avrebbe seguita e accompagnata all'ospedale. Non aveva esitato un attimo ad andare con lei, perché le madri non si ammalano mai e non sono mai stanche. Pensavo fossero così le madri, prima di essere madre anche io. Mi sono invece accorta che io sono sempre stanca e mi ammalo praticamente ogni volta che si ammala Nico. Mi sono quindi accorta che anche mia madre è stanca. Spesso molto più stanca di me.

«Tutti e due gli ospedali sono dallo stesso lato della città. Presto ci diranno la destinazione precisa» ha detto un infermiere.

Mia madre ha preso le chiavi della macchina, ha afferrato la borsa di Maria e mi ha chiesto di chiudere il cancello quando uscivo.

«Intanto chiamo i tuoi genitori» ho detto a Maria. Lei non parlava più.

Quando sono rimasta sola nel cortile, ho chiamato la madre di Maria e le ho detto: «Maria non si è sentita bene, sta andando in ospedale». Mi sono chiesta, se a me arrivasse una telefonata del genere su Nico cosa farei? Ho sentito il mio urlo in quell'altra versione della storia, in un futuro possibile.

«Quale ospedale?» mi ha domandato.

«Lo stanno decidendo. Puoi chiamare mia madre tra cinque minuti.» Sinistra o destra? Meningite o malore? Vita o morte?

«Era così stanca e agitata per Alessandro» mi ha spiegato lei.

«Non ti preoccupare» le ho detto e ho avuto i brividi.

Ho messo giù e insieme ai brividi sono finalmente scese le lacrime. Avevo esagerato io con il racconto di Alessandro? Avevo usato troppi aggettivi, troppa enfasi e crudezza, l'avevo agitata e colpita con le mie parole? Un pensiero che ho fatto molte volte è stato: è colpa mia? In quei giorni potevo usare quel pensiero sia per Maria che per il mio matrimonio. Era un delirio narcisista che prevedeva che io narrassi così bene da travolgere il cervello di qualcuno e farlo esplodere. Quella sera mi sono addormentata con una sensazione di sporco addosso. Nico che dormiva nell'altra stanza e mio marito sul divano del soggiorno. L'afa non dava tregua e niente dava tregua. Per due o tre sere ho preso un quartino di sonnifero e pregato all'indietro, dalla fine all'inizio delle preghiere, dalla fine della notte all'inizio del giorno, sperando di dormire e cambiare il corso del tempo, di tornare a prima dell'alba o forse a prima del Big Bang.

Le rovine

All'altro ospedale Alessandro non stava migliorando. Il coma farmacologico continuava. Gli avevano infilato una sonda dall'inguine, la sonda era arrivata fino all'aorta all'altezza della spalla e con un palloncino a rete avevano riparato una lacerazione.

«Ora funziona benissimo» avevano detto i dottori, «però non sappiamo esattamente come funzionerà tra venti, trent'anni. Non abbiamo ancora dei casi a cui far riferimento.»

Del resto, Alessandro era la prima volta che passava sul pianeta terra e quindi la verità era che di nessun caso specifico, di nessuna persona specifica, si può veramente predire il futuro. Non c'era stato un altro Alessandro cui far riferimento, mai. Dopo averlo operato gli avevano anche consegnato un foglio da tenere con sé, così, durante la vita. In parole mediche c'era scritto pare ora funzioni. C'era scritto palloncino. Cuore. Aorta. La tua vita. La tua morte. Vediamo come andrà, c'era scritto.

Il sig. Alessandro Parrella a seguito di politrauma con rottura istmica dell'aorta è stato sottoposto a intervento di posizionamento di endoprotesi nell'aorta toracica discendente; l'estensione dell'ematoma periaortico ha richiesto la copertura dell'ostio della succlavia sinistra. Attualmente la protesi è integra, sta-

bile nella sede di posizionamento e non presenta problemi clinici; l'arto superiore sinistro è ben compensato dal circolo collaterale e non presenta deficit di forza o di sensibilità. Non esistono attualmente protocolli validati di follow-up, per cui suggerisco di effettuare annualmente una radiografia del torace, anche con proiezioni oblique, per confermare la integrità strutturale della endoprotesi. La ripetizione annuale di angioTC in un paziente giovane potrebbe comportare una eccessiva esposizione a radiazioni, per cui tale indagine, a mio parere, va riservata nel caso insorgano dubbi clinici.

Il mattino dopo era sembrato che il pericolo di vita per Alessandro fosse scampato. Così gli avevano operato il polso maciullato. Il giorno seguente le notizie erano però di nuovo allarmanti: Alessandro aveva preso la polmonite e nessun antibiotico sembrava funzionare. Mi sono immaginata Alessandro con la polmonite e nella mia testa l'ho reso un malato dei film, con la pelle grigia, le labbra secche, gli occhi serrati. Nella mia testa Alessandro aveva una mascherina sulla faccia per respirare e c'erano anche Heidi e il nonno di Heidi seduti ad aspettare per vedere se le cose sarebbero migliorate con l'arrivo del mattino, come erano migliorate diverse volte per Peter che troppo spesso si schianta con la sua slitta. Io e Nico in quei giorni leggevamo sempre di Heidi e Peter che in quanto a malattie e paure la sapevano lunghissima.

Alessandro, a differenza di Peter, prima di venire addormentato aveva detto a suo padre: «Scusa, sto morendo». Quando mesi dopo me lo ha raccontato, Alessandro ha pianto e anche io ho pianto.

«Quella notte ho fatto un sogno completamente anni Cinquanta, nei colori viola, ocra e rosso» ha continuato lui. Il mix di farmaci che gli veniva dato per il coma gli è molto piaciuto e l'ha fatto stare bene. Mi ha detto che il sogno era eccitante, pieno di donne dalla pelle nera belle e sexy che ballavano per lui. Se dovessi scommetterci il miliardo dei fumetti, e potessi infilarmi nel sogno di Alessandro, credo troverei fra loro anche la cartomante vestita di ciniglia rosa. Le sue tette, la sua calma sarebbero tutte lì per lui. Probabilmente mi farebbe l'occhiolino. E mi direbbe non guardare me, guarda la tua vita. Scrivi! Ama!

Dopo la notte d'afa ho chiamato mia madre per sapere di Maria. Nessuna meningite. Aveva avuto un aneurisma cerebrale ed era stata operata d'urgenza. Era in rianimazione e la tenevano sedata, aveva i drenaggi alla testa, i lunghi capelli erano stati rasati: deserto e siccità anche sul suo cranio. C'era un altro aneurisma che poteva scoppiare da un momento all'altro. I genitori di Maria erano molto preoccupati e Maria era terrorizzata. Era stata sedata e operata ancora. Dopo l'operazione Maria non aveva più una stanza e il suo fidanzato le stava accanto. Le portava da mangiare e per molto tempo ancora le avrebbe fatto i massaggi alle gambe con gli oli essenziali. Loro si amavano. Insieme avevano una casa, molte piante, due biciclette, un letto.

Al risveglio dal suo personale coma farmacologico, e a quel punto in rianimazione, Maria aveva visto tutto appannato e non aveva riconosciuto nessuno. Non si era accorta di non avere gli occhiali e aveva pensato che se fosse sopravvissuta avrebbe per sempre visto così, tutto sfocato.

«Mi aiutava un infermiere molto grasso, trafficava attorno a me e mi curava ed era come vedere una grandissima macchia. Volevo molto bene a quella macchia» mi ha detto poi Maria.

Complice l'estate e il minor carico di lavoro, trovarsi da Alessandro era diventata un'abitudine e in quei corridoi si faceva il punto su di lui e su molto altro. Mia madre mi ha poi detto che questa cosa sociale delle operazioni e del pericolo di Alessandro condiviso fra tutti le aveva dato fastidio. Più avanti però ha detto che si era sbagliata. Che male c'era a volere stare insieme? Che male c'era se l'amore degli altri o il mio finivano, visto che anche il suo era finito? A parte il fatto che il suo non era finito, certo.

«Come sta Alessandro?» era la prima domanda quando si arrivava in ospedale.

«Sono usciti due ore fa a dirci che Alessandro sta bene, non sta bene, l'operazione è in corso, sta per cominciare.» E così via. È strano dire e così via, ma a un certo punto le operazioni erano così tante e gli aggiornamenti così tanti che era diventato "e così via".

Io, quando guardavo la mamma di Alessandro, piangevo. Lei fumava moltissimo ed era una roccia. Si bevevano anche le birre lì fuori e dopo aver pianto a volte si rideva.

Io e mio marito stavamo per partire per diverse settimane e volevamo salutare Alessandro. Provavamo ancora a fare le cose insieme e a seguire quello che era stato organizzato. Da una parte con la speranza che tutto tornasse a posto e dall'altra con la certezza che non sarebbe mai più potuto accadere. Anche noi volevamo bene a una macchia e vedevamo tutto sfocato. Nello sfocato c'eravamo ancora noi e avevamo dei piani e li avevamo anche per nostro figlio Nico.

Con la macchina carica siamo andati al policlinico e abbiamo parcheggiato vicino al parco. Nel prato abbiamo visto alcuni amici che avevano passato la mattina fuori dalla sala operatoria e li abbiamo salutati da lontano con un sorriso e un cenno della mano. La sensazione che la vita si stesse sgretolando era sempre più netta. Anche i cantieri della città sembravano messi lì apposta per farmi sentire i buchi. Non facevo un passo senza pensare adesso cado. Cado, mi sdraio e non mi rialzo più. Camminare sulle rovine era difficile e con trentacinque milioni di gradi era una tortura. Basta che non cada Nico, mi ripetevo, perché i buchi per lui erano molto più pericolosi.

Nella sua stanza Alessandro, che era caduto davvero, era l'immagine della fatica e della resistenza. Ho pianto. Abbiamo anche riso e parlato di quell'ala nuova dell'ospedale che era stata costruita così bene.

«Sembra un albergo giapponese» abbiamo detto.

Nessuno di noi era mai stato in Giappone. Io e mio marito non saremmo mai andati in Giappone insieme. Il Giappone è lontano ma non poi così lontano. In Giappone forse c'è qualcuno che amerei tantissimo. Eccetera.

Alessandro entrava e usciva dalla sala operatoria senza più pensarci, almeno così diceva. Mi sono chiesta quali delle botte che gli avevano modificato i tratti somatici fossero destinate a rimanere. Ho pensato al suo cuore. Alla sua paura, alla nostra. Mi sono chiesta sarà vivo tra due mesi? E Maria sarà viva? E noi? Se saremo vivi tra due mesi chi di noi morirà per primo la volta dopo? Alessandro aveva dei chiodi piantati nel bacino e li teneva scoperti, rossi di disinfettante.

«Dobbiamo partire» ho detto ad Alessandro ma in qualche modo anche a mio marito.

«Buone vacanze» ci siamo augurati tutti, e ognuno ha dato a questa frase il significato che poteva.

Durante l'estate Maria e Alessandro si sono sentiti dalle loro stanze di ospedale. In qualche maniera la scena aveva una sua comicità intrinseca. Mia sorella è rimasta accanto ad Alessandro e non si parlava più di lasciarsi. O meglio, c'è stato un tacito accordo: entrambi volevano essere vicini e così sono rimasti vicini anche a parlare delle Filippine. Noi ci siamo distratti e la distrazione era sempre colpevole perché anche nella distrazione mi accorgevo dell'assenza di cura per i due amici. Non erano amici intimi, non erano persone che normalmente sentivo, ma quanto era giusto stare bene quando loro stavano male? Maria era stata male con me, davanti ai miei occhi ed era ancora molto grave. Alessandro aveva passato i Natali e i compleanni a casa nostra ed era in pericolo di vita, aveva i chiodi nel corpo. A volte dalle notizie che arrivavano sembrava stare peggio uno, a volte l'altro.

«Mi sentivo in colpa che Maria soffrisse fisicamente più di me. Io ero ubriaco, era colpa mia» mi ha detto Alessandro tempo dopo.

La colpa insomma ci assaliva tutti comunque. Io non ho mai chiamato nessuno dei due malati e nemmeno i loro genitori. Sapevo di doverlo fare ma non l'ho fatto. Invece ho ascoltato le notizie che mi arrivavano e mi sono preoccupata. Ho ascoltato altre notizie che mi arrivavano e mi sono sentita meglio. Ho capito cose piccole, come che i decorsi sono totalmente imprevedibili e le diagnosi precise non ci sono mai. Che una persona su due ha un aneurisma in attesa nel cranio. Ho imparato ancora meglio come sono fatta e mi sono dispiaciuta per le mie debolezze e per le mie distanze. Ero presa solo da me e dalla fine del mio amore. Da come riuscire ad arrivare a sera, a come scrivere ancora o occuparmi del mio bambino. Così sono passate le settimane e l'estate è finita. Siamo tornati in città, abbiamo inserito Nico in una scuola nuova e ho cercato un'altra casa.

«Sei stufa di scrivere facendo un compitino» mi dice la cartomante a Londra.

C'è sempre più profumo di curry. C'è anche profumo di zenzero.

«Vuoi provare ad amare davvero? A scrivere davvero? Altrimenti dovrai tornare su questa terra un altro miliardo di volte» insiste lei. Mastica un chewing gum con cui fa una grande palla che è un pianeta di cui vedo il mare, le terre, i pesci e i pennuti. Sussurra qualcosa che non capisco e il fumo dell'incenso mi soffoca e soffocare è piacevole, simile all'anestesia.

«Hai ballato nel sogno di Alessandro di quando era in coma?» le chiedo.

«Se continui a distrarti, a non stare veramente nella tua storia, possiamo anche smetterla qui e ci mangiamo qualcosa di buono. Io so cucinare da dio e ho molta fame» dice lei. «Che ti va? Pollo? Pesce?»

«Scusa» sussurro io. «E comunque sono vegetariana.»

«Questa poi, vegetariana. Senti bella, non sai se scrivere e come, non sai se amare e come. Perché non ami e scrivi e basta?»

Sbatto gli occhi. Uno dei pennuti del mondo chewing gum torna a volarmi sulla testa. Si produce in un volo goffo, mi si posa sulla spalla e quando faccio per accarezzarlo quello sparisce. Rimane solo il suono del battito d'ali e poi il vuoto della sua sparizione. Faccio un respiro profondo. Mi ricordo di avere dei polmoni. Mi ricordo di avere un nome.

«Fare un respiro profondo non vuol dire concentrarsi» mi dice la cartomante.

«Come si fa, allora?» chiedo io.

«Concentrandosi!» mi fa il verso lei. «E che cazzo.»

Respiro ancora, cerco di non pensare a niente. Passano alcuni minuti. Inalo. Esalo.

«Hai solo aggiunto le sopracciglia aggrottate» dice lei. «Potevi fare finta di concentrarti così alle elementari.»

Le piante mezze morte

Dopo l'estate ho trovato una casa nuova e durante una delle prime visite ho chiesto all'inquilina se era una casa in cui era stata felice. Mi ha risposto che era stata molto felice. In quelle stanze si era lasciata con suo marito ma la felicità di sicuro c'era stata. Era anche felice di essersi separata. Abbiamo riso. Aveva la faccia triste dalla fronte fino al naso e felice e riposata tra la bocca e il mento. Due umori abitavano lo stesso volto, la stessa donna. La fine era stata una fine ma l'aveva resa contenta. La fine era stata un inizio anche a livello maxillofacciale.

«Le piante del terrazzo non posso portarle con me. Te le posso vendere?» mi ha chiesto.

«Certo» le ho detto.

Le sue piante mezze morte sono diventate le mie piante mezze morte e la casa in cui si era lasciata con suo marito è diventata la casa in cui andavo dopo essermi lasciata con mio marito. Lei ora era più felice di me, almeno nella parte bassa della faccia.

In casa abbiamo buttato giù due muri, imbiancato, aggiustato quello che bisognava aggiustare e mio marito ha traslocato qui i miei e i suoi scatoloni: non eravamo stati molto chiari fra di noi. Soprattutto non eravamo sicuri di niente, e del resto avevamo lasciato la casa precedente in malo modo e di fretta. Anche noi divisi, fronte-naso e naso-mento. Dicevamo addio e intanto montavamo sedie insieme. Compravamo piante ma erano già mezze morte.

«Perché hai portato le tue cose qui?» gli ho chiesto la sera del trasloco.

Era inverno. Qualunque pensiero era gelido. Non avevamo neanche un centimetro di pavimento in cui accasciarci e riposare. Che stesse traslocando nella mia casa era chiaro ma io avevo fatto finta di niente. Era facile misurare insieme anche questa cucina, i tavoli, il nostro letto. Era difficile lasciare andare i sogni di prima, le abitudini di sempre. I nostri libri, i nostri cuscini, il nostro bambino. Le nostre braccia insieme trasportavano meglio gli scatoloni. Le nostre braccia insieme era dove Nico voleva stare. Il cerchio delle mie braccia da sole era molto più piccolo.

«Facciamo con calma» ha detto lui. «E comunque non ho ancora trovato un posto mio.»

«Come ci organizziamo nel frattempo?»

Abbiamo deciso che avremmo dormito una settimana a testa nella casa nuova, così Nico avrebbe avuto una continuità e noi, tra i viaggi, il lavoro e qualche amico, potevamo tranquillamente cavarcela. Sarebbe stato un nostro segreto e per il momento Nico non doveva sapere nulla. Saremmo usciti a turno la sera quando lui dormiva e saremmo tornati al mattino prima di colazione. Altre volte gli avremmo detto che eravamo via a lavorare per qualche giorno. Siamo sempre stati via a lavorare per qualche giorno fin da quando Nico è nato, e così il piano avrebbe potuto funzionare. Non sapevamo ancora come dirgli che ci saremmo lasciati. Non sapevamo dirgli perché. Spesso provavamo le frasi con cui raccontarglielo ma ci sembravano sempre bugie o parole troppo complicate per lui. Le frasi che provavamo ci facevano anche ridere.

«Diciamogli che la nostra casa è più grande e comprende due case.»

«E comprende delle strade e dei giardini di mezzo.»
«Diciamogli che non ci amiamo più.»
«Non è vero che non ci amiamo più. È un amore diverso.»
«Allora diciamogli che ci amiamo di un amore diverso ma non siamo più una coppia.»
«Ha quattro anni.»
Praticamente dopo ogni frase dicevamo: «Ha quattro anni». Che a volte voleva dire è grande abbastanza per capire e altre voleva dire è così piccolo che non può capire.

Io e mio marito andavamo in terapia per lasciarci senza litigare e per trovare la frase giusta da dire a Nico. Andavamo in un posto che si chiama Gea, cioè Genitori Ancora. In effetti genitori lo saremmo stati per sempre, e più che una terapia era come una lunga sessione di prove per uno spettacolo teatrale triste di cui l'unico pubblico sarebbe stato nostro figlio. La frase da trovare però serviva anche a noi. Il pubblico eravamo tutti e tre e poi le nostre famiglie, gli amici e a essere megalomani il mondo intero. Avete voi realmente indagato la verità? La verità esiste? Siete bravi o cattivi? Se siamo mortali, perché occuparsi di questo scomposto slancio immortale? Le piante mezze morte riusciranno a sopravvivere? Non potevamo essere superficiali o troppo rapidi. Dovevamo capire e, una volta capito, dovevamo saper comunicare la nostra scoperta. Era come trovare l'incipit giusto per una nuova storia e la scrittrice e l'editore erano molto dubbiosi su cosa avrebbe appassionato di più, venduto di più, portato al finale migliore e questo mentre il mercato editoriale era comunque in crisi. All'inizio, e per molto tempo, le domande che ci ponevamo erano sempre le stesse. Dove avevamo sbagliato? Eravamo colpevoli? Potevo essere migliore. Poteva essere migliore. Ma se di fatto non lo eravamo stati, come avremmo potuto esserlo? Abbiamo avuto un tracollo quando ci siamo accorti che alla prima frase ne sarebbero per forza dovute seguire altre. Non ci avevamo assolutamente pensato. Così come non avevamo pensato che anche lasciandoci non ci saremmo mai potuti davvero lasciare per via di Nico e che quindi quello che fra noi non funzionava da innamorati non avrebbe funzionato neppure da lasciati. Dovevamo lasciarci senza perderci e il movimento era in molti modi contraddittorio e innaturale. Vattene via per sempre! Rimani per sempre! Guardami! Non guardarmi mai più! Cominciavo a capire la faccia divisa a metà della mia ex inquilina: infelice fino al naso, felice dal naso al mento.

Siamo andati avanti così per qualche tempo, ad alternarci nella nuova casa di notte e a provare le frasi di giorno. Il piano in qualche modo funzionava anche se molti scatoloni continuavano a occupare certe stanze e la spesa non la faceva nessuno dei due. I beauty case si riempivano e si svuotavano. Nella borsetta ficcavo mutande e spazzolino. Se non avevamo amici da cui dormire, su internet esploravamo gli hotel che all'ultimo minuto costavano poco. Quando era il mio turno in albergo rubavo le marmellate piccole e i mieli piccoli e Nico li apprezzava molto. Ho rubato in quei mesi tantissimi spazzolini, shampoo, balsamo e Nico pensava li comprassi nelle profumerie ed era felice quando li metteva nel bagno tutti in fila. Io ero stanca e scrivere ordinatamente era impossibile. Uscire la sera in motorino con il gelo e riprenderlo all'alba era faticoso. A volte io e mio marito piangevamo, a volte litigavamo, altre volte tutto sembrava normale come sempre e sembrava sarebbe potuto durare per sempre. Secondo noi, eravamo stati una coppia bellissima. Potevamo essere una famiglia bellissima anche da lasciati? Ci aveva ucciso la nostra famiglia e avere un figlio? Questo che ruolo dava a Nico?

«Puoi anche abbracciarmi più a lungo» ci dicevamo a turno perché a turno avevamo bisogno di abbracciarci più a lungo ma avevamo anche a turno paura che allora ci saremmo baciati e non avremmo più capito granché. Quando mi avvicinavo non sapevo se sperare di provare qualcosa o niente. Entrambi gli scenari erano paurosi. Gli abbracci piano piano hanno cambiato forma e le sue braccia avevano una resistenza diversa. Non poteva più salvarmi e io non potevo più fidarmi di quello che avrei trovato. A volte al posto delle sue braccia incontravo il vuoto e lui al posto della mia bocca incontrava le guance. Così siamo velocemente diventati altro. Gli abbracci sono spariti e io ho imparato a non avvicinarmi più. Avevamo nuovi nomi per i nostri nuovi ruoli, nuove parole per le nostre nuove paure.

«Perché non mi guardi mentre ti parlo?» gli chiedevo.

Nel corso degli anni era una frase che avevo pronunciato spesso. In quel periodo però avevo almeno un'idea: non sapeva se avrebbe visto una sconosciuta o il proprio amore.

«Hai dato l'acqua alle piante mezze morte?» mi impuntavo poi. E lui non gliela dava mai.

Non abbiamo mai più dormito uno di fianco all'altra. Non ci siamo mai più abbracciati nel letto. Non ci siamo mai più detti ti amo. Non mi ha mai chiesto di tornare insieme e io non gli ho mai chiesto di tornare insieme. Eravamo una coppia da quindici anni e i nostri corpi si erano incastrati per quindici anni. Avevo dormito con lui da quando avevo diciannove anni. Era stato la mia vita e io ero stata la sua. Avevamo cambiato mille case e città, abitudini, bar, ristoranti, lavori, amici. Avevamo viaggiato nel mondo, seguito desideri, imparato canzoni e come si usava ogni nuovo computer. Visto i film vecchi e quelli nuovi e parlato insieme dei libri e del nostro tempo, di cosa succedeva mano a mano in America, in Egitto, a Beirut. Ci eravamo amati moltissimo e non era successo niente di specifico se non la fine dell'amore. Era anche successo tutto, le bugie dei tradimenti di lui e dei miei, la libertà che era diventata essere lontani uno dall'altro e non essere liberi di andare dall'altro, il collasso davanti a un progetto comune, un figlio e una nuova idea di noi che aveva a che vedere anche con la dedizione. Il resto della vita. La vita. La morte. L'estate e l'inverno. Tutto e niente.

«Forse questo è un modo per amarci di nuovo, più avanti» dicevamo all'inizio.

Intanto guardavo case per lui e trovavo nel portafoglio le nostre fototessere con scritto ti amerò per sempre. Ogni tanto cercavo gli occhi di prima, quelli miei con cui l'avevo guardato e amato e quelli suoi con cui mi aveva amata.

«Ecco, guardi il tuo amore!» gli avrei detto allora.

Se scorrevo le nostre mail nelle notti sbagliate, piangevo. Alcune erano così piene di amore. Altre erano così fitte di tentativi di chiarirsi, di fare pace. Fare pace. Prima fare pace aveva funzionato e ora invece non c'entrava più neanche quello. Quando gli cercavo la casa ogni tanto si arrabbiava e diceva: «Non mi piace vederti così attiva nel cercarmi un posto lontano da voi». Altre volte mi ringraziava.

«Non hai avuto cura di me» gli ho detto spesso.

«Non hai avuto cura di me» mi ha detto spesso anche lui. Sul terrazzo le piante mezze morte mi guardavano e dicevano e adesso nessuno ha cura di noi, ok?

Maria in quei giorni era finalmente uscita dall'ospedale e aveva cominciato la riabilitazione. Più che riabilitazione nel suo caso si trattava di ritornare alla vita. Non aveva compiti specifici o esercizi quotidiani da fare. Doveva alzarsi. Respirare. Cercare di non pensare continuamente che il respiro successivo sarebbe stato l'ultimo. Abituarsi a essere molto stanca. Avere pazienza. Abitare il vuoto delle sue giornate, senza lavoro, senza forza. Fare il letto. Rimettersi a letto.

Anche Alessandro in quei giorni era uscito dall'ospedale. Aveva una mano che non funzionava bene e molte altre parti del corpo che non funzionavano più come prima. La vista di un occhio era andata e aveva ancora chiodi ficcati in varie parti del bacino. Vedere sfocato per lui sarebbe diventata una questione permanente: amare la macchia doveva andargli bene per sempre. Nell'aorta c'era quel palloncino. Sulla testa aveva meno capelli. Lui e mia sorella Diana dopo i mesi in ospedale e con l'arrivo di settembre si erano lasciati definitivamente e lei aveva portato via i suoi vestiti da casa.

Quando Alessandro mesi dopo mi ha raccontato l'incidente, che io conoscevo dal bar e dalla curva presa male in poi, è partito dal giorno precedente a quello che io ho stabilito essere il giorno zero. E per la cartomante, e per tutti noi, il giorno del disastro. Alessandro è bravo a raccontare. A volte gli trema la voce, usa parole forti e fa anche molto ridere.

Quel giorno, il giorno meno uno, o uno, o ventitremiladuecentouno, nell'anno duemila e qualcosa o nell'anno zero del paleocene, lui era direttore di produzione di uno spot a Roma. Avevano girato in una mega villa sull'Appia Antica e alla fine delle riprese aveva dormito nel letto che poche ore prima aveva ospitato una famosa attrice.

Erano appunto i giorni in cui si era lasciato con mia sorella e aveva avuto un'altra ragazza. Al mattino si era svegliato vicino alla piscina e aveva incontrato Woody Allen.

«La villa, Woody Allen, l'estate. Di certo era una carica finta, era anche adrenalina del dolore della fine del nostro amore, ma a me quel giorno sembrava di stare molto bene.»

Alessandro quel pomeriggio era tornato a Milano. La sera era stato a un concerto e aveva bevuto due birre. Aveva raggiunto Tommaso, il suo amico di sempre, in un altro bar e per andarci aveva preso la tangenziale. Al bar di Tommaso si era poi ubriacato, sulle birre aveva messo la vodka, e i ricordi da lì in poi sono annebbiati.

«La strada me la ricordo perché l'ho ricostruita con l'immaginazione. Avevo già fatto quei viali migliaia di volte. Tommaso sulla sua moto guidava di fianco a me. Forse come dei deficienti stavamo anche facendo una gara. La cosa incredibile è che c'era una curva e non è che l'ho sbagliata, sono andato dritto a centoventi all'ora. Mi chiedo se volessi suicidarmi e in effetti ancora non lo so.»

Di certo era a Diana che pensava quando si è trovato a terra e lei che voleva al suo fianco. Tommaso l'ha soccorso. Alessandro perdeva sangue dalla bocca e dal naso. È arrivata l'ambulanza e il ricordo dell'ambulanza è associato al panico.

«Però nessun male. Avevo il bacino aperto ma non sentivo niente» mi ha detto.

Mentre Alessandro veniva ricoverato, ancora in codice arancione perché non si era vista la vena rotta, Tommaso aveva preso la sua moto e alle quattro del mattino aveva citofonato ai genitori di Alessandro.

«La cosa migliore che ha fatto per me nella sua vita» mi ha detto Alessandro. «Non ha telefonato. È andato da loro.»

Abitare il deserto

Dopo l'incidente di Alessandro, l'aneurisma di Maria e la fine del mio amore, mio fratello Teo si è sposato e la cerimonia si è tenuta alla galleria d'arte di mia madre. Eravamo tutti vestiti bene. Abbiamo mangiato cibo pugliese e abbiamo ballato e bevuto. È arrivata anche mia sorella Allegra dalla Nuova Zelanda. Gli zii dicevano che la cicoria con le fave era venuta perfetta, mio figlio Nico indossava la cravatta e ballava con mia madre. Mia nonna era entusiasta del matrimonio e anche che si svolgesse proprio lì. Era elegante come sempre nella sua fabbrica allestita a festa, le dita piene di anelli e il rossetto sulle labbra. Ognuno di noi ha detto: «Il nonno sarebbe stato contento», e a me anche quel giorno dispiaceva molto che il nonno non avesse conosciuto i nostri figli e non avesse letto neanche un mio libro. Forse ne avremmo potuto stampare uno con la Roland Ultra? E perché sui miei libri non avevo scelto di usare il suo cognome, e quello di mia madre, invece di quello di mio padre? Morta mia madre quel cognome sarebbe sparito per sempre. Lei era l'ultima: mio nonno era figlio di orfani ferrovieri di provincia e il suo cognome era stato inventato all'anagrafe. Era nato molto povero ed era diventato molto ricco. Era stato partigiano e aveva sposato mia nonna, figlia bella e bionda di una sartina, amandola molto. Le sue lettere d'amore per lei sono romantiche e scritte bene. Mio nonno aveva collezionato arte contemporanea, attraversato l'oceano Atlantico con la sua barca, comperato terre in Brasile e alle Antille. Aveva visitato i più bei musei del mondo, mangiato nei migliori ristoranti di Parigi, Capri e New York, aveva posseduto macchine veloci, soggiornato in alberghi di lusso e passato le serate a giocare a carte bevendo bottiglie buone con gli amici. Era stato un bravo nonno e un bravo padre. Era morto a settantadue anni tra le braccia di mia nonna e di mia sorella Allegra.

«Lei è una artista» diceva di me mio nonno a mia madre e lo diceva perché alle elementari gli avevo regalato un disegno colorato con le tempere dove secondo lui avevo bilanciato molto bene gli spazi e i colori. Il disegno l'aveva appeso in camera sua, di fianco a un Dalí vero.

«Il nostro è stato un amore turbolento» mi ha detto al matrimonio mia nonna. «Ma il nonno non mi ha mai tradita, a me e solo a me confidava tutto. Non avrebbe saputo tenersi un segreto neanche a volerlo.» Io ricordavo il contrario e anche che mia nonna lo sapeva e si era molto arrabbiata. Forse l'aveva dimenticato o forse aveva deciso che andava bene così perché non è che la memoria in certi casi serva a molto, soprattutto se ti costringe a rimanere arrabbiato. In qualche maniera, avrei voluto essere come lei. Cosa c'entra la rabbia con questa cosa dell'essere vivi e poi morti?

«Tuo padre non c'è stato» ha aggiunto la nonna. Ho fatto per difenderlo ma mi sono bevuta un sorso di vino. «Tuo nonno invece c'è stato» ha concluso.

«Allora? Dov'è tuo padre?» mi sussurra di nuovo anche la cartomante a Londra. «Sei stanca di questa assenza!» aggiunge. Sta imitando la voce di mia nonna?

«Ok, ok» dico io. Vorrei chiederle quando ha scoperto di essere una cartomante e se per lei è stato simile a scoprire di voler essere ballerini, scrittori o dottori. Ha occhi luminosi, denti perfetti, lo smalto rosa.

«Cosa mi vuoi chiedere?» mi dice ancora. «Posso accennarti che avrai problemi alle ginocchia e una figlia femmina. Tornerà a piovere e a germogliare tutto. Ma ora concentrati, taci e torna a dov'eri.»

Così mi tocca tornare di nuovo al caldo, alle piante mezze morte e in contemporanea fare un fioretto per il futuro delle mie ginocchia. Mi sfioro un ginocchio, poi l'altro e incrocio le dita.

«Scrocia le dita, che fai?» mi dice lei. E io le scrocio. Che faccio?

Anche Maria era fra gli invitati. Era la sua prima uscita dopo l'aneurisma. Aveva i capelli rasati, lo sguardo perso e insieme nuovo. Aveva anche lei nuovi occhi e un nuovo corpo con cui andare in giro sulla terra. Il suo compleanno cadeva nello stesso giorno del matrimonio e così verso le undici era arrivata una torta per lei. Era una grande crostata di fragole e crema pasticcera. L'ho presa io o qualcuno me l'ha posata sulle mani. Comunque, nel mio ricordo, sono andata verso di lei con le candeline accese mentre in più di cento le cantavano tanti auguri. Maria ha soffiato le candeline e quando l'ho abbracciata il mio cuore ha accelerato. Non riuscivo a lasciare la presa e a dire niente. Non avevamo parlato dal giorno dell'aneurisma. Era arrabbiata con me che non avevo mai chiamato? Stava male questa sera? Io ero arrabbiata con me che non avevo chiamato e non ero andata all'ospedale.

Me ne stavo lì aggrappata al suo collo, nello stesso cortile dove la sua vena era esplosa. Forse eravamo in piedi esattamente nello stesso centimetro quadrato. Eravamo dove mio nonno mi aveva regalato i libri. Dove avevo detto a mia madre della fine del mio amore. Dove mia madre voleva aprire Pong il locale da ping-pong. Eravamo all'inizio di qualcosa di diverso e vicino a qualcosa di concluso per sempre. Maria oggi compiva trent'anni ed era viva. Si sposava mio fratello. Nico rideva. Mia nonna era felice. Io durante quei mesi e forse durante tutta la vita non mi ero occupata di nulla se non di me. Io non dovevo pensare a come mettere un piede dopo l'altro e a imparare tutto di nuovo. Maria invece sì. Alessandro anche.

«Grazie per aver chiamato l'ambulanza» mi ha detto lei. Anche a mia madre aveva detto che l'avevo salvata. Non mi sentivo per niente di averla salvata. Era uno strano grazie da ricevere.

«Come stai?» le ho chiesto.

«Qualcun altro non mi avrebbe creduta e tu mi hai creduta. Così sono arrivati in fretta.»

Maria era più fragile e insieme più dura di prima. Ha sorriso, mangiato la torta e baciato il suo fidanzato. Lo conoscevo perché era giardiniere e mi aveva aiutato a trasportare le piante di mia nonna sul nuovo terrazzo. Anche mia nonna aveva appena cambiato casa e le foglie e i rami che avevano coperto lei e mio nonno ormai non le servivano più. Non le serviva più il letto del nonno, non le servivano i vestiti del nonno o lo spazio per loro due nonni. Le serviva lo spazio per sé e per cominciare a pesare meno, avere meno, vedere meno. Abbracciata a Maria mi sono chiesta ogni quanto pensasse alla morte. Se ci stesse pensando anche durante questo respiro. E durante questo altro e questo altro ancora. È stato un pensiero preciso, veloce. L'ho trasformato e mi sono chiesta ogni quanto riuscisse a non pensarci. L'ho trasformato ancora e mi sono chiesta ogni quanto riuscissi a non pensarci io. Mia nonna. Mia madre. Tutte le persone di questa festa e di questa terra.

«Posso avere il letto del nonno?» avevo anche chiesto a mia nonna.

«Certo» aveva risposto lei. «Prendi tutto quello che vuoi.»

«Dal trasloco della nonna ho preso il letto del nonno» ho detto a mia madre al matrimonio.
«Tu vuoi sempre tutto» ha commentato lei.
«Tu non vuoi mai niente, invece?»

Al matrimonio è arrivato Alessandro, era anche la sua prima uscita dopo i mesi in ospedale. Aveva i capelli radi sulla nuca per via dei tanti mesi sdraiato e aveva un braccio che era diventato molto sottile e si muoveva così così. Era sempre lui ma parlava da un posto lontano. C'erano dieci vetri almeno tra il suo viso, il suo corpo e il resto del mondo. I suoi sorrisi erano tirati. Era stanco. Sui fogli delle dimissioni, mesi dopo, ho letto cosa si portava in giro Alessandro quella sera: "Trauma cranio-facciale, con lesione contusivo-emorragica corticale fronto-polare ds. Emoseno frontale. Fracasso facciale. Frattura osso malare, ds. Frattura arco zigomatico, ds., non ad ali di gabbiano. Frattura seno mascellare, ds., parete anteriore e latera-posteriore, pluriframmentata scomposta. Frattura seno mascellare, sn., parete latera-posteriore, composta. Frattura processi pterigoidei. Frattura orbita, ds., parete laterale, sn., in corrispondenza della sutura fronto-zigomatica, modicamente scomposta. Frattura orbita, sn., parete mediale, composta, con presenza di piccole bolle aeree. Frattura naso, setto, pluriframmentata, ossa proprie, con estensione alla piramide e radice a sn., frattura mandibola, ds., ramo, interessante il coranoide. Trauma cervicale. Trauma toracico, con atelettasia e versamento pleurico, ds. e sn., e falda di pneumotorace apicale, ds. Ematoma periaortico. Sindrome aortica acuta. Flap intimale aorta discendente per dissezione meta-traumatica. Endoprotesi aortica. Frattura osso ilio-pubico, sn. Ematoma inguinale, sn. Frattura radio, sn., metaepifisaria, pluriframmentata, e ulna, sn., stiloide (frattura di Smith-Goyrand). Sofferenza plesso brachiale, sn".
Tanta roba, insomma. E tutta sua e solo sua.

«Come stai?» ho chiesto anche a lui.

«Benissimo» mi ha risposto. Avrebbe potuto rispondermi con l'elenco qui sopra e probabilmente quindi era sarcastico e non lo era allo stesso tempo. Stava benissimo: era vivo. Non stava benissimo: era quasi morto. Il pudore nel fare percepire il suo cambiamento mi era però chiaro. Così come il tentativo da un lato di fare come se nulla fosse cambiato, essere appunto quello di prima, stare benissimo, essere a una festa, e dall'altro il continuo rimando a tutto quello che aveva passato che non andava rimosso né da lui né da noi. Aveva cambiato livello di consapevolezza, di paura, di senso. Quel livello ci era negato e doveva essere solitario sapersi dall'altra parte del muro. Come si raggiungono le persone? ho pensato. Come staranno insieme le piante della vicina e le piante di mia nonna? E io sola nel letto del nonno? Ho fatto del mio meglio per essere calorosa. Poco dopo sono tornata a ballare e mi sono fatta scattare una foto con le mie sorelle e mio fratello. Nella foto abbiamo tutti un bicchiere in mano e facciamo le facce sceme. Io ho anche la lingua fuori e dico *aaa*. Dietro di noi si vede la Roland Ultra, la più grande macchina da stampa della fabbrica di mio nonno, della galleria di mia madre e nel mio cuore la più grande macchina da stampa del mondo intero.

Pulire le foglie

Durante quella notte e le altre che sono venute dopo, ho dormito poco. Ho consegnato la prima stesura di un libro finito da tempo. Intanto avevo altri lavori per la televisione e per i giornali e le giornate le riempivo così tanto che mi scrivevo sulle mani gli elenchi di tutto quello che cercavo di farci stare. Spesso mi servivano anche i polsi. Per una serie tv scrivevo di una coppia che si stava lasciando e per un circolo virtuoso e anche vizioso molte delle nostre parole, molti dei dialoghi tra me e mio marito, finivano nella bocca degli attori. Quegli attori li ho fatti lasciare e discutere come ci siamo lasciati noi. Ho fatto avere a lui i tic di mio marito e a lei i miei. Così una sera, alla tele, ho visto un'attrice dire le parole che avevo detto io a mio marito. Lei guardava suo marito attore e diceva: «Hai finito tutta la cura che avevi da parte per me? Perché non mi guardi mai negli occhi?». Per dieci minuti buoni ho osservato noi sullo schermo. Io avevo i ricci e avevo gli occhi azzurri. L'attrice piangeva, ho pianto anche io. Nico dormiva in una casa dove mio marito non c'era più e nella vita vera sapevo già come andava a finire e anche alla tele sapevo già come andava a finire. Nella notte ho inviato un messaggio all'attrice, l'ho ringraziata, era così brava. Ne ho inviato un altro a mio marito e lui non ha risposto.

«Scrivi?» mi chiede sempre e da sempre mia madre.
«Scrivo» le rispondo.
Ma in quei mesi non scrivevo per come intendeva lei. Correggevo il libro in uscita e scrivevo per gli altri. Ma scrivere per come dovevo scrivere, no, non lo facevo. Mi occupavo di questioni pratiche, lavoro, distrazione. A casa, per esempio, avevo appeso quadri vecchi su muri nuovi e fuori casa esploravo il nostro nuovo quartiere. Sul terrazzo avevo controllato il vecchio sistema di irrigazione e unito le piante di mia nonna a quelle della vicina. Ora erano tutte mie ed erano tutte connesse.
«Come stanno le mie piante?» mi chiedeva mia nonna al telefono.
«Bene» le mentivo.
«Come stanno le mie piante?» mi scriveva l'inquilina precedente.
«Sono felici» esageravo.

Prima che arrivasse il freddo vero ho cercato di fare alle piante quel poco che sapevo, pulire le foglie morte, dargli l'acqua. Poi siamo partiti tutti insieme, le mie sorelle, mio fratello e sua moglie, Nico, mia madre e mia nonna. Un posto in campagna affittato da mia madre per il fine settimana. Mio fratello la domenica mattina ha annunciato che lui e sua moglie aspettavano un figlio. C'era il sole, ci siamo abbracciati. La prima cosa che ho pensato è che forse per via di questo bambino si sarebbero lasciati. Mi sono corretta pensando a tutti quelli che riuscivano ad amarsi anche dopo i figli. Anche noi due avremmo potuto amarci di nuovo, tra mille giorni, mille mesi, mille anni? Era solo inverno?

Io e Nico dormivamo sui tatami davanti a una finestra e davanti a un bosco. La sera lo abbracciavo e sincronizzavo il mio respiro al suo. Mia madre mi aveva detto che quando non hai sonno e tieni la mano sul braccio di chi dorme, il sonno ti viene trasmesso. Lei lo faceva con noi, io lo faccio con Nico. La seconda sera, mentre provavo la tecnica e per farmi venire sonno ero abbracciata lui, si è fatto la pipì addosso. Un poco l'ha fatta su di me e tutto il resto sul tatami. La proprietaria si è offesa.

«Mi dispiace» le ho detto.

«Marcirà» mi ha risposto lei. E anche quella frase l'ho presa come una condanna.

Mia madre in quei mesi si era molto distaccata da me per via della mia decisione di divorziare. Quando discutevamo, l'aria grave con cui mi chiedeva se ero sicura della mia decisione mi innervosiva. Odiavo che non mi chiedesse se ero stata infelice e se ero più felice ora. Odiavo presupponesse che la colpa fosse mia. Come faceva a saperlo lei se non lo sapevo io? Era per me minacciosa la sua maniera di immaginare il nostro futuro e di raccontare il nostro passato.

«Lui dava anche il biberon a Nico quando era piccolo» mi diceva.

«L'ho allattato dieci mesi» le rispondevo.

«Cosa c'entra?»

«E cosa c'entrano i biberon, allora?»

In quegli stessi mesi, dopo diciassette anni di separazione, mia madre aveva finalizzato il divorzio da mio padre e la coincidenza di tutto questo lasciarsi e perdersi l'aveva di certo scossa. Al tempo del vero lasciarsi ero stata l'unica a saperlo. Ero in una cabina telefonica. Eravamo d'estate, quella dei miei diciassette anni e mi trovavo a un ritiro per un corso di teatro. L'avevo chiamata, lei piangeva, mi aveva detto: «Ci siamo lasciati, non dirlo a nessuno. Neanche a tuo fratello e alle tue sorelle». Un po' per il corso di teatro, un po' per le sue parole, quella sera mi sono rasata i capelli a zero. Ero molto brutta.

Ora potevamo parlare di nuovo della fine del suo amore,

del mio, di quello di Diana. Potevamo parlare delle meduse e della fine del mondo. Era una lamentela diffusa e varia, mia, sua, del pianeta. Potevamo metterla in bocca a qualsiasi donna dell'universo e più o meno avrebbe funzionato e più o meno sarebbe stata onesta. Per me suonava tutto uguale. Vita, morte. Guardami, non guardarmi mai più. Allontanati da me, rimani vicino a me per sempre. Deserto. Foresta.

«Tuo padre non ha cambiato neanche un pannolino e voi eravate quattro» ripeteva ancora mia madre.

«Cosa c'entra?» le chiedevo.

«È impossibile parlare con te.»

«Secondo me è impossibile parlare per come lo intendi tu» dicevo.

«Allora scrivi.»

«Pensi che se non scrivi non verrai amata?» mi chiede la cartomante a Londra.

«Se non scrivo verrò punita» dico io. Sorrido. Il quarzo rosa è ancora sulle mie gambe. La sua bocca è a un centimetro dal mio viso, dal mio orecchio.

«Non è che se sorridi penso che stai bene» mi dice lei. Per darmene prova ripete la frase ridendo. Poi simulando il pianto. Recitando la pre-morte. Godendo.

«Ok! Ok!» dico io per farla smettere. «Ho capito!»

«Hai capito me o te?» mi chiede lei. A quel punto inizia a starmi sul cazzo.

«Posso sopravvivere» continua lei. «Anche se ti sto sul cazzo non ne morirò. Anzi. Continuerò ad avere una gran fame, sempre, di tutto. Pure della trippa fritta e della lingua in umido. Stai serena.»

«Sono serena» dico io.

«Allora perché tremi?»

Mia madre sosteneva di non essersi pentita. Sosteneva però anche che forse avrebbe potuto essere più brava e allora avrebbe funzionato. Aveva nostalgia ma anche rancore. C'era anche molto amore. Del resto tante volte erano tornati insieme durante quella lunga separazione, le loro facce avevano evidentemente riso e pianto insieme, i loro cervelli e i loro corpi voluto due cose insieme. Lui mi aveva detto tua madre non è voluta tornare con me. Lei mi aveva detto tuo padre non ha voluto fare l'amante.

«Sei triste?» le chiedevo.

«Sono sola» mi rispondeva mia madre.

Non avevo poi calcolato che lasciando mio marito lo dovesse lasciare anche lei, almeno in parte. L'aveva visto crescere. Lasciandolo io, dovevano lasciarlo anche mio fratello, le mie sorelle, lei e tutti. In qualche modo, doveva morire. Anche mio padre dopo la loro separazione era quasi morto per me. Chi l'aveva più frequentato? Chi aveva mai più ricevuto una carezza da lui? Non mi telefonava mai, non lo vedevo mai.

Io, mia sorella Diana e mia madre, come buona parte degli abitanti della terra, in quel periodo siamo andate avanti e indietro così, con tutte queste fini. Le telefonate tra le femmine della famiglia erano incentrate solo su questo ed erano ripetitive. Mio fratello, che invece si era sposato e aspettava una figlia, era felice. E comunque lui era un maschio quindi lo coinvolgevamo meno.

«Quando sarà stanca tu aiutala» gli dicevo.

Lui rispondeva che certo, lo avrebbe fatto, non vedeva l'ora. Se da piccole noi sorelle eravamo riuscite a convincerlo che gli sarebbe caduto il pisello come era già successo a tutte noi, figurarsi se non potevamo indirizzarlo sull'aiuto a sua moglie. Infatti poi l'ha aiutata. Anche per questo, per ora, noi sorelle non gli abbiamo ancora fatto cadere il pisello.

Il primo minuscolo seme

Un giorno, in quei tempi di piante mezze morte, per caso ho incontrato Maria. Stava meglio ma aveva ancora paura. Mi ha raccontato della terapia psicologica cui si stava sottoponendo.

«Chi ha vissuto così da vicino la morte non ne esce indenne» mi ha detto.

La terapia era simile a quella da stress post traumatico, il suo psicologo per esempio aveva in cura soldati che erano stati in Afghanistan e in Iraq. Aveva lo studio a pochi passi dalla mia nuova casa.

«A volte sto male» mi ha detto Maria. «Se ci penso, se penso a quel giorno e alla malattia, è come un liquido che mi avvolge e sale da tutte le parti.»

Le lacrime mi hanno occupato le borse degli occhi e lì si sono fermate.

«Non mi sento più sicura» ha aggiunto lei.

Attorno a noi molte delle cose del mondo erano brutte. Le scritte sui muri. Il supermercato con le insegne distrutte dai vandali. L'ingresso di un parcheggio sotterraneo costruito male. Certe schifezze lasciate lì per terra, sporche e di plastica o di carta sudicia. I titoli dei giornali. Il nostro paese. Anche noi non eravamo granché in quanto a bellezza. Ne abbiamo parlato e siamo state tristi di come tante persone non si occupavano di vivere meglio e di essere gentili.

Il fidanzato di Maria e lei avevano una specie di vivaio. Insieme facevano interventi urbani come piantare senza permesso fiori per cercare di migliorare qualche spicchio di città.

«Non mi piacciono quelli che lo fanno di notte, come ci fosse qualcosa da nascondere. Però poi le persone rubano i fiori» ha detto.

«Davvero?» ho chiesto io. «Sempre?»

«Se usi fiori sconosciuti non li rubano. Se invece metti i ciclamini, te li rubano subito. La peonia è conosciuta, ma non abbastanza. Non la rubano.»

La prima minuscola illuminazione è arrivata in quell'istante e il primo minuscolo seme Maria me l'ha passato in quel secondo. Ma io non sapevo neanche fosse un seme.

«Torni a lavorare?» le ho chiesto.

«No» ha detto lei. Le nostre due solitudini si sono riconosciute e si sono date una pacca sulle spalle.

Quella sera ho cenato con mia sorella Diana. Ci siamo sedute sul terrazzo e abbiamo bevuto una birra. Lei era ancora innamorata e non lo era più. Alessandro era ancora innamorato e non lo era più. Erano gli stessi di prima. Erano altri da prima. Avevamo tutti ora un prima cui far riferimento. Questa cosa di non aver visto le Filippine, poi, stava sulle palle a entrambi. Io avevo lo stesso problema con il Giappone.

«Dovresti chiedere a Maria di aiutarti con le piante del terrazzo» mi ha suggerito lei. «Stanno malissimo.»

«Non si stanno adattando bene» ho bofonchiato.

«Non gli dai abbastanza acqua. Hanno poca terra. Hanno le foglie gialle. Vanno nutrite.»

«Non va bene quando hanno le foglie gialle?» ho chiesto.

Lei ha sorriso come se avessi appena fatto una battuta. Le piante non avevano l'aria di stare bene, in effetti. Le volevo ovunque come quasi tutti ma non ero capace di farle essere ovunque. Le volevo in maniera superficiale. Davo l'acqua ma non abbastanza. E l'acqua la davo come mi avevano insegnato a tre anni, al mattino e alla sera, per un po'.

«Chiedi a Maria di aiutarti» mi ha ripetuto mia sorella.

Ho annuito e per diverse settimane mi sono dimenticata di aver annuito. Vedere le piante morire non mi colpiva granché. Dimenticare, neppure.

In quei giorni ho trovato una casa per mio marito vicino alla mia, dall'altro lato del piccolo parco. Dopo pochi lavori lui ha traslocato. Quella notte sono finita in ospedale, lo stesso in cui avevano ricoverato Alessandro mesi prima. Lo stomaco mi si era stretto così tanto che non potevo respirare e al mattino sono tornata a casa piena di amore per gli ospedali e per gli antidolorifici. Sul foglio di dimissioni la dottoressa aveva scritto "labilità emotiva". Per alleggerire la questione, una volta a casa avevo aggiunto un apostrofo. La paziente manifesta "l'abilità emotiva".

Insieme alla sua casa avevamo finalmente trovato anche la frase da dire a nostro figlio e l'avevamo trovata che potesse funzionare seguita dalle altre. La terapia era durata poco e di solito quando andavamo lì ci tenevamo a spiegare al terapeuta che non eravamo arrabbiati. In qualche modo ci vantavamo di noi.

«Dovete stare poco insieme» ci diceva lui.

«Anche se ci viene naturale?» chiedeva mio marito.

«Non vi verrà naturale. Altrimenti perché non state più insieme?»

«Noi siamo diversi» sosteneva lui. «Lei non può saperlo, ma è così.»

Chissà quante volte aveva sentito la stessa frase. Se fossi stata dell'umore gli avrei fatto elenchi molto precisi per rispondere alla sua domanda. Avevo un milione di risposte estenuanti con cui sembrare meglio di quello che ero. Invece inghiottivo saliva. Pulivo gli occhiali. Asciugavo le lacrime. Abitavo il deserto.

Stavamo finendo di trasportare gli scatoloni dalla mia casa alla casa di mio marito quando ho visto per la prima volta il mio futuro fidanzato. Eravamo in un ristorante. Ero seduta con una amica e ci è passato vicino. Io e lui abbiamo scambiato qualche parola. Era alto, aveva le spalle grandi, sorrideva. Mi è venuto il batticuore. Anche io continuavo a sorridere e so anche di avere immediatamente pensato ti amo e di avere istantaneamente scagliato a mille chilometri di distanza quel pensiero e quella frase. Quando si è girato, con un sortilegio ho salutato le sue spalle per sempre. Ho provato a pensare addio invece che ti amo.

«Cosa è appena successo» ho detto alla mia amica.

Anche dopo, quel pomeriggio, mi tremavano le gambe ed ero molto agitata. Ero certa che, nel deserto, al massimo avremmo potuto essere un'oasi di quelle di Topolino. Avevo paura che avrei mangiato sabbia invece che acqua e di non sapere camminare sulle dune per riuscire a controllare se si trattasse di un miraggio. Le allucinazioni, poi, potevano essere la diretta conseguenza della labilità e abilità emotiva, così come pensare ti amo dopo sette secondi.

«Se non lo rivedo, saremo tutti salvi» ho promesso allora ad alta voce con un fioretto.

Appena ho deciso di seguire il fioretto, il cuore si è calmato.

Quando il suo primo messaggio è arrivato non ho risposto. Al secondo ho risposto "Non ora, ma è evidente che dovremo prima o poi affrontare la questione". Il cuore ha ripreso a battere troppo veloce. Mi sono ricordata della scarsa tenuta delle mie promesse e del mio cuore non proprio in salute.

«L'hai più sentito?» mi chiedeva ogni tanto la mia amica.

«Mai più» dicevo io come fosse un segno di forza.

Ma vedevo continuamente la bocca di lui sorridere, sui fogli scrivevo il suo nome e immaginavo che lui scrivesse il mio. Nella mia immaginazione lui lo scriveva ancora più grande e ancora più volte. Spesso, aggiungeva dei fiori.

Per il giorno della verità di Nico, io e mio marito abbiamo organizzato come sarebbe stata ogni cosa. Glielo avremmo detto nella mia casa, avremmo mangiato insieme sul terrazzo cibo buono che non bisognava obbligarlo a mangiare. Quindi niente pesce o verdure verdi. Poi saremmo andati nella casa di mio marito a vedere la camera nuova e avremmo fatto il letto di nostro figlio. Nico non ci avrebbe dormito ancora per qualche settimana ma intanto avrebbe imparato che l'altro letto era lì e che anche quello era un posto suo e poteva dormirci. Le case le abbiamo chiamate con i nomi delle vie e non casa di mamma e casa di papà. Abbiamo tentato di immaginare una casa grandissima che comprendesse le nostre stanze e anche gli alberi e il bar che ci piaceva per il caffè del mattino. Eravamo a un corridoio a cielo aperto di distanza. Nostro figlio ci ha guardato per qualche secondo e ha detto che aveva fame. Gli abbiamo ripetuto che non eravamo più sposati, non eravamo più marito e moglie ma che ci saremmo amati tutti per sempre.

«Mangiamo?» ha ripetuto lui.

Anche noi avevamo fame. Meno male che non c'erano pesce o verdure verdi. Siamo andati sul terrazzo e abbiamo pranzato lassù. C'era il sole e le piante ci coprivano poco perché erano mezze morte. Quando abbiamo camminato da una casa all'altra, Nico aveva una chitarra giocattolo in mano ed eravamo di sicuro una famiglia e camminavamo tutti verso lo stesso posto. Io e mio marito piangevamo ma con gli occhiali da sole e nella tristezza eravamo anche felici, perché stavamo facendo le cose per bene ed eravamo certi che Nico sarebbe stato per sempre e lo stesso protetto, nonostante un corridoio a cielo aperto in mezzo al soggiorno.

Ci siamo presi per mano, abbiamo sorriso.

Le maestre, la settimana dopo, mi hanno detto che Nico nell'ultimo periodo era stato irrequieto ma che da una settimana aveva finalmente trovato un posto.

«In che senso un posto?» ho chiesto.

«Sia fisico: riesce a stare fermo in un posto. Che mentale: è a posto, è sereno.»

«Una settimana fa io e suo padre gli abbiamo detto che ci siamo lasciati» ho raccontato.

«Una settimana precisa?» ha chiesto la maestra anziana.

«Precisa» ho confermato io.

Le due maestre si sono guardate e hanno annuito. Eureka, dicevano i loro occhi. Annuivano come a dire guarda come sono i bambini e hanno sorriso perché non si erano sbagliate neanche questa volta. Ci mancava che si battessero il cinque. Io mi sono sentita in colpa per il tempo in cui avevamo lasciato Nico nell'incertezza. Pensavamo di essere stati bravi ma in realtà eravamo stati cattivi? Anche davanti alle maestre mi vergognavo. Era la prima cosa brutta che Nico scopriva della vita e veniva da noi. Il primo dolore e veniva da noi. Poteva almeno voler dire che era proprio da noi che doveva imparare anche il dolore, come la paura, come l'amore, come la morte?

«Fino a una settimana fa passava da un gioco all'altro senza trovare pace. Era irrequieto. Nervoso. Ora sta meglio.»

Quanta paura aveva avuto di notte? E di giorno a scuola, quando non trovava pace, cosa lo turbava? A pensarci bene, era obbligatorio andare a scuola? Perché non lo tenevo sempre in braccio e basta? Sono stata assalita dal desiderio di tenermelo legato addosso e girare il mondo con lui. Voglio vedere il Giappone!

«Scusate» ho detto.

Il diaframma mi si è chiuso e ho inghiottito più saliva e respirato profondo.

«Sono incredibili i bambini» ha ripetuto la maestra giovane.

«Non siamo arrabbiati fra di noi. Volevamo dirvi anche questo» ho aggiunto.

«Meno male» hanno detto quelle imbarazzate.

«Avete dei consigli?» ho chiesto. Avrei accettato consigli da chiunque e su qualunque cosa. Anche su come dormire meglio la sera, come cucinare la pasta, come essere una brava mamma o una brava scrittrice. C'era qualcuno che poteva aiutarmi a non fare morire le piante? A essere più presente con mia nonna e con tutti?

«Qui ci sono genitori che lasciano i bambini come pacchi. Non si parlano per mesi e noi siamo lo spiazzo in cui mollano i figli prima di scappare. Voi sembrate non avere questo problema.»

«Andiamo d'accordo, sì» ho detto. «Noi siamo diversi.»

In quel momento avevo quattro anni come Nico. Abbiamo sorriso. Volevo bene a tutti in quella stanza e ho avuto un moto di gratitudine per il mio paese, la scuola pubblica, le maestre, le sedie che erano aggiustate anche oggi, gli esseri umani e noi tre che eravamo insieme in quell'ora a cercare di fare andare anche le cose tristi nel modo migliore. A occuparci dei nostri bambini e dell'educazione e di un futuro possibilmente giusto.

Quando dicevo a mia madre che cercavamo di essere così, separati ma vicini, lasciati ma solidali, come il terapeuta mi ripeteva: «Speriamo, ma non credo sia possibile».

«Come dovremmo fare, allora?» le chiedevo.

«Uno di voi due in questa situazione soffrirà sicuramente di più.»

«Ma noi non siamo arrabbiati» dicevo anche a lei. «Noi siamo diversi.»

Dal cielo era tornata l'acqua

«Sento rumore di fogli girati» dico.

«Non sei ipnotizzata?» mi chiede la cartomante.

«Non lo so. Lo sono?»

«I fogli sono nel presente o nel passato?»

Rimango zitta. Come si capisce se si è nel presente o nel passato?

«Stavo girando le tue carte. Sei innamorata.»

Sbircio e la cartomante sta guardando le mie carte ma anche un enorme libro di ricette. Il libro è aperto sulla pagina dei curry. Chiudo di nuovo gli occhi.

«Questo amore sarebbe anche bellissimo ma tu non ti fidi di nessuno e poi pensi sempre ad altro» mi dice lei. «Vedo un dirigibile.»

«Nelle carte?»

«Mi appare di continuo questo dirigibile e tu che non riesci a parcheggiarlo.»

L'immagine è così buffa che mi metto a ridere.

«Ridi pure ma parcheggiare il dirigibile prenderà molta più concentrazione di quella che hai ora.» Il dirigibile appare anche a me. È colore argento e io lo provo a tenere con una corda per aquiloni. Wow!

«Perché leggi le ricette?» le chiedo.

«Non leggo le ricette» mi risponde stupita. «Ma dovresti

di certo chiederti perché hai un dirigibile enorme da parcheggiare e parli di ricette.»

Apro gli occhi e il libro di ricette è sparito.

«E poi vedi, non ti fidi» conclude lei. Appena faccio per chiudere gli occhi intravedo ricomparire il libro.

Qualche tempo dopo ho rivisto il mio futuro fidanzato in un negozio. Io provavo dei vestiti e lui si è seduto a guardarmi. Il suo sguardo era familiare e insieme nuovo. Quando un'ora più tardi ci siamo salutati mi è subito mancato. Mi ha scritto. Gli ho scritto. È partito per Londra, dove abitava. È partito per vari altri posti, dove lavorava. Da lontano ci siamo scritti ancora. È tornato, ci siamo avvicinati, baciati. Ci siamo scritti milioni di volte, fino a che siamo partiti di nascosto, soprattutto di nascosto da noi stessi, insieme. Quando ci siamo separati, ci siamo scritti ancora. Ho fatto un fioretto per cancellare il fioretto precedente. Un altro per cancellare i fioretti dal mondo.

«Vieni da me?» mi diceva ora lui.

E io dicevo sì. Gli dicevo anche quando sarei arrivata, per quanto tempo sarei rimasta. Dove avremmo mangiato, dove avremmo camminato. Però prenotavo solo aerei che si potessero cancellare senza dover pagare una multa. Li cancellavo quasi tutti.

«Ti rendi conto che quando parli del tuo fidanzato scappi?» mi dice la cartomante.

«In che senso?» chiedo io.

«Non entri nel dettaglio, fai elenchi, vai veloce. In pratica, scrivi male.»

«Ah, grazie tante.»

«Offendersi non serve. Scrivi meglio, non scappare, stai» mi dice lei.

Chiudo gli occhi e il dirigibile mi strattona. Ahia! Cerco di stabilizzarlo ma è molto più grande e molto più forte e molto più d'argento di me.

«Non scappare!» mi urla di nuovo la cartomante.

Cerco di puntare meglio i piedi, di tenere gli addominali duri, di organizzarmi con il corpo e con la mente.

Le piante intanto stavano sempre peggio e mia sorella insisteva perché scrivessi a Maria. Così l'ho fatto.

"Ciao Maria, come stai? Vuoi occuparti delle piante sul mio terrazzo? Hanno bisogno d'aiuto."

"Certo" mi ha risposto lei. Ha aggiunto: "Vengo quando finisce la pioggia". L'ho trovato un bel modo di prendere gli appuntamenti. E poi, dal cielo era tornata l'acqua, me n'ero accorta? Forse potevo usare la stessa frase anche io per ogni cosa della vita. Pioveva in effetti ormai da settimane. Le piante bevevano a volontà e sicuramente sarebbero state meglio di quando erano lasciate sole con me. Io poi non ero obbligata a essere felice come ci si aspetta nelle giornate di sole.

Quando Maria finalmente è arrivata era triste.

«Oggi guardo in giro, così decidiamo cosa fare» mi ha detto. L'ho abbracciata e abbiamo chiuso la porta dietro di noi.

«Cosa c'è?» le ho chiesto.

«È finita con il mio fidanzato.»

«Perché?» Un'altra fine. Eccola qui.

«Mi ha sostituita.»

Cominciavamo a essere in tante a esserci lasciate. Mia sorella Diana, mia mamma col divorzio, la mia inquilina precedente, io e ora Maria. Probabilmente qualche altro milione di persone solo nell'ultima settimana.

«Come stai?»

«Sono triste» ha detto. «E incazzata nera.»

Abbiamo girato di vaso in vaso e osservato le piante dei balconi e quelle del terrazzo. Non volevo essere invadente e così non ho chiesto altro.

«C'è una fotinia. E un lauroceraso. Qui è arrivato un gelso, un abusivo che si è autoinvitato.»

Ascoltavo e non memorizzavo. Non capivo neanche bene quando indicava col dito a quale pianta si riferisse. Fotinia? Ma ogni volta che nominava una pianta mi pareva in effetti che la pianta prendesse vita. Dandole un nome Maria la rendeva presente. Gelso? Buongiorno, sono Anna. Me la presentava e mi diceva guarda che lei esiste, abita con te. Per esempio il fatto che questa sia una pianta autoinvitata te la fa accogliere con occhi nuovi? Ti fa piacere, hai una pianta in più, o ti infastidisce perché non era invitata e non l'hai scelta? Se la osservi anche solo un poco meglio, te la ricordi. Non passarci di fianco senza neanche sapere chi è. Non fai così anche con le persone?

«Non hai fiori» ha notato.

L'ho notato io stessa in quell'istante. Non avevo fiori. Neanche uno.

«È tutto verde. Non c'è colore. Ti piace così?» mi ha chiesto.

Era tutto verde, senza colore. Non lo sapevo se mi piaceva così. Erano le piante dell'inquilina precedente e le piante di mia nonna arrivate fino a me. Ora erano diventate le mie piante. Non avevo scelto nulla e le poche cose che avevo scelto fino a qui forse erano pure sbagliate.

«Preferisco ci siano anche i fiori» ho concluso dopo essermi guardata ancora intorno e vagamente dentro.

«Ci sono diversi cadaveri» ha aggiunto. «La feijoa. Il corbezzolo e l'osmanto per esempio sono morti. Anche l'alloro non se la passa troppo bene.»

Era colpa mia? Cadaveri è una parola che richiama la colpa. Per una volta potevo essere certa di essere stata cattiva.

«Non sono brava con le piante» ho spiegato. Avrei anche voluto aggiungere che non ero stata brava con lei quando era in ospedale. Sono rimasta in silenzio e ho ripassato le parole feijoa, osmanto.

«Devo venire una prima volta a fare una grande pulizia. Spostare qualche pianta. Estirpare i cadaveri.»

«Dove ci sono i vuoti ho paura che Nico cada.»

«Sì, ci sono tanti buchi.»

Siamo rimaste in piedi vicino ai buchi e quando l'abbiamo detto il terrazzo mi è sembrato spoglio come non mai. Dicendolo ad alta voce l'avevo svuotato con un abracadabra. Come le piante, ogni buco e ogni vuoto avevano ora un nome e una storia. Diventavano voragini.

«Come stai?» mi ha chiesto.

«Meglio. Ma è complicato» ho detto.

«Nico?»

«Le maestre dicono che ha trovato un posto. Io invece non ho trovato un posto. Ti preparo un caffè?»

Abbiamo bevuto il caffè e un bicchiere d'acqua. La casa non era ancora sistemata del tutto e dai muri pendevano certi fili per le lampade. Abbiamo mangiato la cioccolata fondente.

«Il tuo terrazzo ha un'esposizione che se non ci fosse bisognerebbe inventarla» ha detto.

I capelli le erano cresciuti. Erano ancora capelli da maschio ma da maschio che ha i capelli lunghi. Era dimagrita. Avrebbe fatto ricrescere le piante, avrebbe avuto di nuovo i capelli lunghi.

«Quindi questo ora è il tuo lavoro?» ho chiesto.

«No. Lo faccio per te.»

Ho sorriso e ho rivisto la sua bocca che mi diceva mi esplode la testa. Aiutami.

Tempo dopo si è fidanzato di nuovo anche mio marito. Si è scusato. L'ho scusato anche se non sapevo di cosa. Subito ci siamo messi a fare le prove per come dirlo a nostro figlio. Il concetto questa volta doveva essere ci amiamo noi ma amiamo anche altri e soprattutto tutti amano te. Tu sei amatissimo e noi ci saremo sempre. Anche questa è una famiglia e tra l'altro è una grande famiglia. Guarda quanti corridoi a cielo aperto esistono per quante stanze e sono tutte nostre le stanze! Guarda quante piante diverse e mezze morte ci stanno in un unico terrazzo! La mappa della casa da descrivere era sempre più buffa. La mia, per esempio, avrebbe ora anche incluso la città di Londra, dove abitava il mio nuovo fidanzato con i suoi due figli, gli aeroporti, i Boeing 737.

«Ha quattro anni» ripetevamo ancora io e mio marito e di nuovo voleva dire è così piccolo e altre è così grande.

Peraltro ne stava ormai per compiere cinque, quindi anche quella frase non sarebbe andata bene per sempre.

«Adesso vuoi urlarlo che eravate anche arrabbiati?» mi chiede la cartomante. «Se decidi di farlo ti consiglio di usare la voce dei marines.» Per accontentarla urlo che eravamo anche arrabbiati.

«Non hai voce!» mi dice lei. E per accontentare me, con la voce dei marines urlo che non ho voce.

Quell'anno eravamo anche diventati tutti più poveri. Nessuno di noi si era salvato dalla crisi e anche chi lavorava, lavorava meno e per meno soldi. La città e il paese erano avvolti da una spessa nebbia. I lavori erano diventati più brutti e così i giornali e le trasmissioni alla tele. I film che si facevano erano molti meno. Anche i film che si guardavano erano molti meno. Gli amici che lavoravano con gli artigiani raccontavano di chiusure quotidiane. Sette persone a casa. Diciassette. Tutta una famiglia. Fabbriche chiuse. Case vuote. Crisi. Crisi. Crisi. La prospettiva nel breve e medio termine non prometteva nulla se non crisi. Resistenza, penitenza e crisi. Spesso anche i padri fallivano e vedere i padri diventare più poveri era quasi più difficile che essere più poveri noi. Di certo i padri avevano il pensiero opposto: un conto è diventare poveri noi, un altro è sopportare che siano poveri i nostri figli! I nostri figli, cioè i figli nati già poveri dei figli ora poveri dei padri diventati poveri, frequentavano scuole peggiori, con le maestre magari anche brave ma senza carta, penne e sapone. I nostri amici lasciavano le loro case e si trasferivano in case più piccole e in quartieri più periferici. Tutto quello in cui avevamo investito e in cui avevano investito i nostri genitori, le ore e gli anni di studio, i sogni, le idee, sapere le lingue, avere letto molto e viaggiato molto, lavorare da quando avevamo diciotto o diciannove anni, esserci laureati così bene, non stava tornando indietro. Tutti quei sogni e quei soldi e quelle energie erano andati persi. Ero circondata dalla fine e quindi la fine non era solo mia. Così ero aiutata anche dalla crisi: la situazione aveva qualcosa di nuovo, forte e ci obbligava a ridefinire molto di noi e della nostra idea di felicità. A seminare e rinominare piante adottate. A seminare e rinominare la famiglia, la casa, i cadaveri nei vasi. Essere in crisi nel pieno della crisi mi pareva assai meglio che essere in crisi nel pieno della non crisi.

«Vuoi uscire?» mi chiedevano a turno gli amici.

«Riuscirai a stare con me anche nella distanza?» mi chiedeva il mio nuovo fidanzato.

Inventavo di non potermi organizzare. Preferivo stare sola e sola con Nico. Mi rendeva felice soltanto questo, la casa, la distanza, noi. E mi stupivo, perché negli ultimi anni mi ero sentita costretta a stare chiusa in casa con un bambino piccolo e un marito mentre avrei solo voluto scappare. Spesso, anzi, ero scappata davvero. Adesso volevo restare. Invasare. In questo posto nuovo però non sapevo più scrivere, non riconoscevo le mie mani o le persone, e dovevo imparare tutto di nuovo. Anche a dire ti amo. Anche la lettera a. A.

Il mare era anche nostro

In quei giorni un signore indiano aveva chiesto a mia madre di comprare la Roland Ultra. Il signore indiano di lavoro cercava proprio macchine da stampa usate da portare nel suo paese. Le cercava su internet e la galleria d'arte di mia madre era comparsa in google immagini, rivelando, al centro della stanza più grande, il macchinario.

La Roland Ultra un tempo era stata gloriosa e molto costosa. Stampava libri d'arte, illustrati prestigiosi, enciclopedie. I libri che mio nonno mi posava sulle mani quando andavo a trovarlo. Ora invece la Roland Ultra non stampava più libri e gli artisti la usavano nelle loro performance. Piano piano era diventata un monumento della fabbrica. Alcuni ne avevano sfruttato i suoni, altri le avevano fatto stampare poster giganteschi, altri ancora l'avevano calpestata come un palco.

Anche io ospitavo un festival di letteratura che prendeva il nome dalla macchina di mio nonno e sui suoi ingranaggi sedevano scrittori che raccontavano la loro vita. A volte la Roland Ultra mandava scosse elettriche e così gli scrittori raccontavano le loro madri e le loro abitudini al lume di una candela, abbarbicati sulla macchina cercando di non disturbarla. Qualche scrittore era anche stato fulminato dagli ingranaggi di secoli passati, un piccolo shot che aveva fatto ridere il pubblico e un poco meno loro.

Mia madre, che è educata e gentile, ha ascoltato il signore indiano fino in fondo e ha rifiutato la proposta.

«La macchina non è in vendita» ha spiegato.

Mia madre gli ha poi raccontato di mio nonno, della fabbrica e di come la macchina fosse diventata il monumento di quelle stanze. Lui ha ascoltato attentamente, come spesso fanno gli indiani che per tradizione vedono molte connessioni e in ogni storia cercano significati ulteriori. Ha ringraziato mia madre e le ha chiesto di pensarci ancora. Mia madre ha risposto che ci avrebbe pensato ancora ma che era sicura di non voler vendere la Roland Ultra.

«In India la macchina tornerebbe a stampare» le ha detto il signore indiano. «Qui non può più farlo.»

Si sono salutati e augurati buona fortuna.

Mio padre intanto, per via della crisi e per via di altro, era fallito e aveva chiuso il suo ufficio. Mio fratello Teo, che lavorava con lui, non era stato pagato per qualche mese e successivamente si erano accordati sul migliaio di euro. Avrebbero di nuovo provato a fare qualcosa loro due da soli mentre tutti gli altri erano stati mandati a casa. Mi chiedevo come avrebbe fatto mio fratello con così pochi soldi a crescere una bambina. Io ne guadagnavo di più e non era facile comunque. Mi chiedevo ancora come fosse stare così al centro della crisi per lui e per mio padre, per i padri e per i figli del mondo.

Quando ero piccola l'ufficio di mio padre occupava due piani e ci lavoravano molte persone. La casa editrice l'aveva aperta con mia madre. Quando avevano cominciato abitavano in una stanza lì dentro, con mia sorella Allegra. Poi le cose avevano iniziato ad andare bene e si erano allargati, avevano cambiato case e preso spazio negli uffici. Lavoravano molto e li vedevamo poco. Mia madre non ci ha allattato o allevato in senso stretto e quando raggiungevamo i due mesi lei tornava a lavorare a tempo pieno. Sono diventati ricchi, hanno creato e pubblicato libri e riviste di grande successo e comperato per noi una casa molto grande. Avevamo anche un giardino. Avevamo alberi, tartarughe, le fragole di bosco. Mia madre e mio padre non ci portavano a scuola né ci venivano a prendere e non ci portavano a nuoto o a danza. Persone, che vivevano con noi, erano pagate per farlo. Avevamo l'autista, avevamo le babysitter inglesi e una cuoca. Le settimane bianche e molte delle vacanze erano gestite allo stesso modo. Poi le cose sono cominciate ad andare male, loro si sono lasciati e quasi in contemporanea l'ufficio è stato ridotto a un piano e mezzo. Un piano. Alla fine la casa editrice occupava metà piano e le stanze sembravano comunque vuote. Si cercavano affittuari con cui dividere le spese.

Quando ero piccola ero molto contenta di avere un padre ricco e una madre ricca. Ero anche molto contenta che fossero diventati ricchi per via di libri e giornali. In qualche modo era una ricchezza non colpevole, perché c'entrava con la creatività e la cultura. Andare in casa editrice era elettrizzante e in ogni stanza succedeva qualcosa. Chi impaginava, chi telefonava, chi rideva, parlava al telefono, litigava. Ero contenta della casa editrice, i raccontastorie e i femminili, le guide turistiche e le videocassette. Andavamo alla scuola Montessori dove imparavamo a fidarci di noi stessi e a essere liberi e potevamo pagare questo lusso senza problemi anche se eravamo quattro figli. Alla scuola Montessori ogni mattina si sceglieva da soli cosa fare e l'unica regola era portare il lavoro a termine ed essere ordinati. D'estate studiavamo in Inghilterra e d'inverno sciavamo in Svizzera, dove avevamo una casa. Potevamo andare ai corsi di danza, teatro, pianoforte, cavallo e tennis, avevamo tutto quello che volevamo e molto di più. Durante gli anni dei vari licei classici, a pranzo ognuno aveva anche diritto ad alimentarsi in maniera differente. Chi era vegetariano, chi non mangiava il pesce, chi era a dieta: era concesso e previsto anche questo. A quell'età andavamo a studiare con ballerine famose, artisti, attori e registi in giro per il mondo. Alcuni di noi seguivano sciamani per seminari di meditazione, andavano in India a fare yoga o in Belgio a imparare il dressage. Con nostra madre andavamo nei musei di New York, Londra, Copenaghen e insomma dove si doveva e si voleva. Mio padre non ci raggiungeva quasi mai e dentro di me io pensavo a possibili amanti. Se per caso compariva, trovava un modo per andarsene in fretta e di nuovo io pensavo alle amanti. Comunque essere una famiglia secondo noi non gli piaceva. C'era stata per anni una casa a St. Barth. Una casa a Parigi. C'era una casa in Brasile dove non siamo neanche mai andati. Si viaggiava ovunque nel mondo, si comprava, si sceglieva. Le Hawaii, la Cina. Andavamo in Costa Azzurra, alle Baleari, in Grecia o ai Caraibi in barca. La barca portava il nome mio e di mia sorella grande, il motoscafo quello di mia sorella e mio fratello piccoli. Avevamo molti vestiti, molti giochi e una stanza piena di videocassette con i film che non erano ancora usciti al cinema. Vedevamo quindi molti film e certe notti io e le mie sorelle ne vedevamo due o tre di fila senza che nessuno si accorgesse di noi perché la casa aveva diversi piani e così nascondersi e perdersi di vista era facile. Tra la mia camera e la camera dei miei genitori per esempio c'erano due piani. Vedere *Scene da un matrimonio* a dieci anni non era stata una scelta giusta e anche *Fanny e Alexander* avevano invaso le nostre notti e i nostri sogni. A pranzo e a cena eravamo serviti uno a uno e il cameriere e la cameriera indossavano i guanti e la divisa. C'era a volte il giardiniere bello con gli aiutanti belli. C'erano molti soldi, molti oggetti, troppi computer, telefoni con varie linee per chiamarsi da una camera all'altra, un ascensore per andare da un piano all'altro e tanto di tutto. Studiavamo quello che dovevamo studiare, le lingue, l'arte, gli strumenti musicali, gli sport e leggevamo molti libri. Eravamo politicamente impegnati, andavamo alle manifestazioni e alle occupazioni, passavamo le serate ai centri sociali e a discutere di testi filosofici e sacri. Riempivamo sacchi per i rifugiati e i profughi ma avevamo decisamente troppi soldi per non intuirne il ruolo.

Adesso però non ero triste di avere un padre più povero. Mi preoccupava solo l'idea che essere povero rendesse triste lui e complicasse la vita di mio fratello.

«Come va papà» gli ho chiesto una sera, «sei preoccupato?»

Lo chiamavo da non so dove, mi rispondeva da casa sua.

Ci sentivamo due o tre volte all'anno. Forse, negli anni migliori, quattro. Di lui e della nostra vita insieme mi è rimasta incollata qualche sera a parlare di filosofia o storia, ridere e giocare e fare la lotta coi fratelli, la volta che a sette anni mi ha picchiata perché avevo sbattuto la porta e ho avuto per un mesetto l'occhio nero. Mi aveva picchiata e ho da subito mentito con i compagni di scuola, le maestre, il nonno, per creare una storia in cui non era colpa sua. Mi è rimasta incollata un'altra notte in cui avevo l'otite e lui ha tenuto la sua mano sul mio orecchio fino all'alba, per curarmi e per non farmi avere paura. Mi sono rimasti i suoi silenzi e i suoi fastidi, la volta che ha schiaffeggiato mia sorella grande e si urlavano l'un l'altro sei una merda e una sera che doveva essersi fatto una canna e ha avuto un attacco di panico ed è andato all'ospedale con mia madre. Mi sono rimaste poi certe cose che penso di sapere di lui come i tradimenti, la grande mente, lo strano cuore, le ingiustizie verso mia madre. La grave malattia da piccolo, il collegio terribile, la sua solitudine resistente a tutto. E dunque era nato normale. Cresciuto ricco mentre i suoi genitori diventavano ricchi. Era diventato povero per scelta quando aveva deciso di essere comunista e cameriere ed era tornato a essere ricco grazie al suo lavoro. Ora invece era povero nonostante il suo lavoro e non era di certo più comunista. Era soprattutto abbastanza povero in una nuova fase della vita, i sessant'anni.

«Va benissimo. Non sono preoccupato.»

«Cosa farai ora?»

«Ho trenta scatoloni davanti e non so cosa farò. Ci sono tutti i miei libri scelti. Mi sembra perfetto» raccontava di buon umore.

«Devi lasciare anche la casa?»

«È possibile.»

«E dove andrai?»

«Non lo so.»

Aveva la voce serena. Una volta per un giornale mi avevano commissionato un articolo sulla felicità. "Qual è la tua idea di felicità?" avevo chiesto quella sera via mail a mio padre. Mi aveva risposto che la sua idea di felicità era essere rinchiuso in prigione o in un monastero per poter finalmente pensare profondamente. Non è che ci avessi creduto, ma mi preoccupava l'idea che ci avesse creduto lui. O che avesse ancora bisogno di dire queste cose che poi alla fine lasciano il tempo che trovano.

«Mi sembra molto interessante» mi ha detto al telefono. «Tutto da capire. Da immaginare di nuovo.»

Abbiamo parlato di altro. Della mia vita e di Nico. Dei viaggi di lavoro che dovevo fare. Della sua fidanzata con cui non viveva. Ho pensato che anche se era preoccupato e anche se la situazione non gli sembrava molto interessante aveva deciso di dirmi così e non avevo un motivo per obbligarlo a sostenere il contrario. Di sicuro poi, con una parte di sé ci credeva e ammiravo la maniera distaccata con cui affrontava il dolore, la fine, la crisi.

«Maria sta venendo da te per le piante?» mi ha chiesto.

«Gli alberi del mio terrazzo hanno una malattia. Mi mandi il numero?»

«Va bene, ma non so se verrà perché credo non voglia ancora lavorare. Ma tu non stai traslocando?»

«Credo di sì» ha concluso. E in effetti le piante vanno curate anche se si trasloca.

Qualche giorno dopo l'ho risentito. Mi ha raccontato che il ragazzo che lo stava aiutando con il trasloco aveva per sbaglio buttato gli scatoloni con i libri da tenere invece che quelli con i libri da buttare.

«Come l'hai presa?» gli ho chiesto.

«Mi sembra molto interessante» ha detto.

Abbiamo messo giù e ci siamo persi di vista. Non sono abituata alla sua presenza quindi anche quella volta l'ho dimenticato subito. Non mi manca mai, non voleva mancarmi mai e così mi sono adattata.

«È inutile fare finta che non ti importi. Non è vero» mi dice la cartomante.

«Fare finta che non mi importi cosa?» provo io. Mio padre, i preti del suo collegio, mio nonno, il mio nuovo fidanzato, mio marito, mio figlio: tutti i maschi del mio mondo ridono. Si aggregano a loro tutti ma proprio tutti i maschi del mondo intero. Mi guardano. Li guardo.

«Appunto» dice la cartomante.

Il mio libro nuovo ma vecchio era nel frattempo uscito e ogni volta che lo presentavo qualcuno del pubblico piangeva e io le notti avevo delle crisi in cui mi veniva un mal di stomaco tremendo. A volte svenivo. Faceva molto Fanny Ardant ne *La signora della porta accanto*, quando Depardieu la bacia e lei sviene per troppo amore e troppa emozione.

Il libro era infatti per me ancora doloroso e vivo. Anche perché di certo mi ero ispirata al mio amore e mentre nella notte davo i pugni nei muri mi dicevo che quel dolore era simile a partorire. Anche lì, ero molto Ardant. Ma partorire era stato bellissimo, invece questo dolore non sembrava utile a nulla. Il giorno seguente il dolore passava e stavo meglio. E poi ogni giorno un poco meglio. Mi infastidiva che le persone a me vicine suggerissero che era per la fine del mio amore che soffrivo così e cercavo sempre di sviare. Avevo fatto una dieta rigida e forse era stato quello, dicevo. Lavoravo molto e forse era quest'altro, proponevo. E poi ero appunto anche felice perché mi ero innamorata di nuovo. Ma in qualche modo ero anche innamorata di vecchio, anzi dell'idea vecchia di noi e continuavo a sognare mio marito e quello che avremmo potuto tornare a essere. Di certo però qualcosa anche nei sogni stava finendo. Ero allo stesso tempo nostalgica e affamata di futuro. Tornavo ancora al passato, alle lettere, le foto, i ricordi e intanto ne creavo di nuovi, così avevo nuove lettere, nuove foto, nuovi ricordi di un nuovo amore da imparare e da conservare. La mia borsa cominciava a riempirsi di carte d'imbarco per l'Inghilterra. Il nuovo amore prendeva spazio, diventava il nuovo paesaggio, la mia nuova terra. In più, a casa, avevo tutte quelle piante da curare, tutti quei buchi da cui proteggere Nico.

«Per il divorzio come ti vesti?» avevo chiesto a mia madre.

«Non ci ho pensato.»

«La verità?»

«Ho comperato un abitino» aveva ammesso lei.

Il giorno dopo il divorzio l'ho sentita di nuovo. Ho fatto la voce gentile, ha fatto la voce gentile.

«Com'è andata?»

«È stato triste. Ma anche carino. Siamo andati a mangiare insieme.»

«Avete fatto l'amore?» ho chiesto a mia madre.

«No» mi ha risposto lei scocciata. «Siamo molto diverse io e te.»

Mesi dopo mi ha detto che ci aveva pensato anche lei a fare l'amore dopo il divorzio. Comunque era vero: eravamo molto diverse, io e lei. E io e mia sorella. E Maria da me. E tutte queste fini, ognuna aveva qualcosa di diverso ma era in qualche modo impossibile non collegarle fra loro e non pensare che in fondo nessuna fosse speciale in alcun modo e che nessuna fosse realmente una fine e c'era e c'è un movimento continuo e là dove si ferma qualcuno, qualcun altro riprende il movimento.

La sensazione che tutto stesse cambiando e collassando aveva continue conferme. Potevamo noi c'entrare con le azioni della Apple che all'improvviso continuavano a scendere? Con la crisi dell'euro, l'Egitto e appunto le meduse che avevano cominciato a occupare con ancora più violenza tutti i mari? Come avremmo fatto con tutte quelle meduse era un tema che insieme agli altri riempiva i miei pensieri la sera. Avremmo dovuto spiegare ai nostri figli che un tempo ci si poteva tuffare e che il mare era anche nostro. Come avremmo fatto con la fine dei pesci che si possono pescare nel Mediterraneo?

La terra stava crollando e noi correvamo di qua e di là cercando di tenere il tempo. E nel dolore, nella paura, ero però emozionata perché la somma dei nostri disastri era comunque una occasione. Era anche l'anno in cui si annunciava la fine del mondo e mi ero affezionata al ritornello che ci dava tutti per spacciati. Se tutto stava finendo, la parola fine perdeva di senso. A furia di correre però avevo la lingua penzoloni e avevo sempre sete.

«Per la fine del mondo ho comperato moltissima acqua e scatolame» mi aveva detto mia sorella Allegra dall'altra parte del mondo.

«Per salvarti?» le avevo chiesto.

«Per salvare anche te.»

«Non saprei come raggiungerti: dicono che non sarà questione di acqua o cibo. Usciremo dalla porta di casa, se ancora una casa e una porta ci saranno, e troveremo il deserto. Ma che dico il deserto! Troveremo un paesaggio post apocalittico, lunare e non sapremo le coordinate e le direzioni. Non sapremo neanche più dire deserto o aiuto.»

«Io ho l'acqua» aveva ripetuto mia sorella, «ceci e riso. Prova lo stesso a venire da me.» Che la mia unica possibilità di salvezza e la mia unica scatola di ceci fosse in Nuova Zelanda, rendeva la mia sopravvivenza improbabile.

Rami e terra ovunque

Maria mi aveva chiamato e mi aveva detto che il giorno seguente non avrebbe piovuto e che quindi sarebbe venuta a casa mia.

«Spero che prenderemo sempre gli appuntamenti basandoci sulla pioggia e non sugli impegni» le ho detto.

«Come altro potremmo fare?» mi ha chiesto.

Le ho aperto mentre ero al telefono e lei mi ha sorriso. Trasportava su e giù dal cortile attrezzi e sacchi di terra. Vasi di plastica e guanti, forbicioni e buste di concime. Ho avuto paura per il suo sangue e il suo cervello. Me li sono immaginati impegnarsi troppo per via di quei trasporti. Stava facendo troppa fatica? Se io avevo paura per lei, era presagio di qualcosa? Avevo un qualche assurdo potere magico che mi permetteva di salvare Maria per sempre? Le ho domandato: «Hai bisogno d'aiuto?». Ha scosso la testa ed è sparita di nuovo. Si è piazzata sul terrazzo, ha cominciato a dissodare la terra e a estirpare radici secche e strappare rami. L'ho guardata cominciare il suo lavoro e poco dopo mi sono messa a scrivere. Avevo una consegna da rispettare e molte mail a cui rispondere.

Così lei ha lavorato e io ho lavorato. Lei vicina alle piante, con i capelli che le crescevano e io sui tasti, con le pagine che aumentavano. Dopo un paio d'ore l'ho raggiunta. Era pieno di rami e terra ovunque. Lei sudava e si chinava e strappava. Era un terrazzo brutto. Sporco, spoglio e brutto. Coi sacchetti per terra e che aveva così bisogno di aiuto. Avevo piante rinsecchite. Voragini. Vasi vecchi. Vasi rotti.

«Abbiamo eliminato il secco, il rotto, il morto. Tutto quello che è accettabile teniamolo come nostro capitale. Adesso è la fase in cui togliamo. Non avere paura se lo vedi così.»

Ho ascoltato senza commentare. Ho preso atto dei decessi e predisposto lo smaltimento dei cadaveri. Ogni sua parola m'appariva come una metafora. A intendere le sue frasi così, come traduzioni sentimentali ed esistenziali, mi veniva da ridere. Non avere paura se lo vedi così! Tutto quello che è accettabile teniamolo!

«Quel vaso è rotto. Quell'altro vaso va cambiato. Quel vaso è di plastica, quello di cemento, quello di coccio.»

Non mi ero mai accorta neanche di questo. Non avevo mai toccato i vasi?

Ho ascoltato ancora e una folata di vento ha alzato alcuni rami, poca terra. Mi si è stretto lo stomaco e l'inverno era da tutte le parti. Era successo in quel secondo, con quella precisa folata di vento. Passata la folata il futuro è scomparso ed era ancora autunno. È arrivato il presente ma era un presente nuovo.

«Hai fame?» le ho chiesto.

«Sì» mi ha risposto.

L'ho lasciata lavorare e sono andata a cucinare il riso e una minestra di verdure. Ho riscaldato il tè. Ho affettato il pane e ho apparecchiato bene. Quando ci siamo sedute dalle finestre entrava una luce chiarissima, limpida.

«Grazie» mi ha detto prima di cominciare a mangiare.

Non cucinavo quasi mai durante il giorno, così ero felice di un pasto caldo e di essere seduta a tavola davanti a Maria e non davanti al computer. Ero felice delle verdure che erano rimaste croccanti e che fossimo vive. Maria aveva sempre l'aria di avere molto tempo e molta pazienza. Io di avere molta fretta e di essere sempre in rincorsa.

«Com'è che sei stata sostituita?» le ho chiesto.

«Da un punto di vista profondo?»

«Come te ne sei accorta, intendo.»

«A casa ho trovato un disordine incredibile. Lui invece è molto ordinato.»

Maria era arrabbiata e si vedeva che lo amava ancora. Abbiamo spazzolato i piatti di minestra e ne ho servita altra. Abbiamo finito la prima tazza di tè e cominciato la seconda.

«Era come se non gli interessassi più. E io non ero più interessante come prima, in effetti. Ero faticosa e spaventata, diversa. Anche il mio corpo era diverso. Ma come potevo fare?» Abbiamo finito il tè e ho riordinato, facendole segno di non aiutarmi.

«È stato bravo quando eri in ospedale?» le ho chiesto.

«Bravissimo.»

Maria era affranta. Mi ha spiegato come è più facile curare un corpo che non sta bene rispetto a una mente che si deve riprendere. Non vedi il sangue. Quella depressione e quella fatica sono d'impiccio per tutti. Siamo tornate sul terrazzo. Maria era sana, forte. Mi sono chiesta se fosse una di quelle persone che quando si lasciano stanno bene a parlare male del proprio ex fidanzato o una di quelle persone che quando si lasciano stanno bene a parlare bene del proprio ex fidanzato.

«Stai bene a parlare bene del tuo ex fidanzato o stai bene a parlare male del tuo ex fidanzato?» le ho chiesto.

«Tutte e due» ha risposto lei. Fronte triste, bocca felice.

Più tardi sono andata a prendere Nico. Siamo risaliti per qualche minuto a casa, volevo fargli vedere il terrazzo che si costruiva dalla terra e i rami secchi, le piante morte. Volevo fargli vedere il nostro presente, compresi i rami da smaltire. Maria gli ha spiegato cosa aveva fatto e Nico ha mangiato la merenda guardandola lavorare. L'abbiamo salutata.

«Se quando finisci non siamo ancora tornati lascia pure socchiuso» le ho detto.

Nico le ha dato un bacio sulla guancia e quel giorno, per le strade, con il mio bambino, mi sono sentita molto fiera. Da un lato perché sono in generale fiera di essere una madre ma soprattutto perché sono fiera di essere la madre di Nico. Nel quartiere nuovo poi incontriamo spesso amici, altri genitori e altri bambini, negozianti e maestri di teatro, di nuoto, di inglese, di ginnastica. E in questo nuovo posto, geografico ed emotivo, spesso mi commuovo. Mi commuovo anche quando penso che qualcuno ha scelto di insegnare esattamente nuoto, di fare il pane, di riparare le moto. È come un gioco di quando eravamo piccoli, tu fai il dottore, io la maestra, solo che è un gioco portato per le lunghe. Quando cammino e incrocio le persone non riesco per esempio a evitare di pensare a tutti noi che condividiamo questo quartiere, questa città, il mondo e questi anni, come comparse di un film o un romanzo che si svolge in queste poche vie, esattamente in questo tempo, quasi solo per noi. Penso ai nostri amori. Ai nostri dolori. Soprattutto quando vado al bar dove poco dopo essere entrata io, entra mio marito, ecco, nello stesso bar alcune mattine entro io con il mio nuovo fidanzato quando viene a Milano. Di sicuro un'oretta dopo entra mio marito con la sua nuova fidanzata. Forse usiamo anche la stessa tazzina. Gli stessi cucchiaini sciacquati male sotto l'acqua bollente. I camerieri, che sanno di noi e di tutti, commentano: sono il nostro coro greco. A volte anche io e mio marito ci organizziamo e andiamo a berci un caffè nelle stesse tazzine e così facciamo il punto su Nico e sulla nostra vita. In quel bar mio marito e il mio fidanzato si sono stretti per la prima volta la mano. Nello stesso bar io ho visto da lontano e per la prima volta la fidanzata di mio marito.

«È una mia amica» ha detto lui venendo incontro a me e Nico.

«Perché non si alza a salutarci?» ho chiesto io.

Mi è capitato anche di vedere una mamma della scuola piangere vicino alla piscina. Spiare litigate di coppie che conosco, ammirare baci segreti del barista. Per ognuno di noi immagino una riga di penna rossa, blu, verde, lasciata per terra. I nostri percorsi, ogni passo, le nostre tracce. Ci sembrano tragitti spettacolari, forse perché sono rossi, ma sono penne bic, le vendono in tutte le cartolerie. Le nostre case sono un'unica casa, grandissima.

«A cosa pensi?» chiedo a Nico mentre camminiamo.

«Io non penso» mi risponde lui.

«E cosa fai, allora?»

«Sto con te. Stiamo camminando.»

Quando rientriamo a casa troviamo la porta socchiusa e un vasetto di foglie e fili d'erba sul tavolo della cucina. Ha dentro anche qualche rametto, la menta.

avanzi di potature

Di fianco c'è un bigliettino per dire "ciao, vado". Imparo così che si possono fare vasetti belli senza bisogno di fiori. Senza bisogno di tagliare apposta e senza bisogno della primavera. Bastano le foglie, le spighe, il verde. Bastano gli avanzi delle potature per comporre qualcosa di delicato, le piante mezze morte della vicina per cominciare una foresta, gli avanzi di una famiglia per sopravvivere al deserto.

"Teucrium" ha scritto sul bigliettino Maria. Anche in inverno avremo qualcosa da guardare e in qualche modo da celebrare e le nostre piante sono già pronte a darci tutto questo, sempre.

«Stai respirando meglio» dice la cartomante.

«Hai per caso un quarzo rosa più grande?» chiedo io. E lei mi si siede in braccio.

«Stai parlando al presente» mi dice lei.

«Nel passato o nel presente?» chiedo io.

«Ovunque» ridacchia lei. «Sei presente da tutte le parti e a tutti noi. Avanti così!»

Mia sorella Diana intanto cerca una casa nuova. Anche le scatole di trasloco e i camion, le imbiancate e gli spostamenti di mobili, vedo tutto come fossi su una terrazza altissima. Da quassù la vista è limpida e accoglie solo il necessario. Il movimento è inarrestabile, fluido, continuo. Un traffico bestiale di chilometri e chilogrammi spostati. Parcheggi di macchine grandi. Rumore di scotch su cartone marrone. Pennarelli che scrivono cucina, camera da letto, libri miei, libri tuoi. Cartelli sotto i palazzi che dicono "Oggi trasloco". Nuove vite. Sogni. Io e mio marito che lasciamo la casa. Scatole. Camion. Mio marito che poco dopo lascia la casa nuova e va in quella nuova-nuova. Scatole. Camion. Mia sorella che prende la nuova casa. Scatole. Camion. Il letto di mio nonno che arriva da me. Maria che lascia la casa del suo fidanzato. Mia nonna che lascia la sua casa di sempre. Mio padre che lascia i suoi uffici. Scatole. Camion. Scatole. Camion. E ognuna delle case in cui ci spostiamo è stata svuotata. Ogni progetto è stato modificato. Pensato, riscelto, abbandonato. La ex inquilina della mia casa che si sposta. Scatole. Camion. Suo marito che qualche mese prima di lei ha lasciato la casa in cui ora sono io. Scatole. Camion. Il nostro movimento è insieme struggente e in qualche maniera assurdo e inutile. Fa male e non si sente nulla allo stesso tempo.

«Come vuoi che sia la tua casa nuova?» chiedo a mia sorella Diana.

«O molto grande così affitto una stanza a qualcuno o molto piccola così me la posso permettere.»

«Cerchi in contemporanea due case totalmente opposte.»

«Pure tu» ride lei. «E probabilmente anche tutti gli altri.»

Felice con gli occhi. Triste con la bocca.

Nella frenesia emotiva e pratica di questi mesi sono sempre più convinta che non tornerò a scrivere. Mi chiedo come potrò rinunciare a un altro sogno della mia vita di prima e come dovrò modificarlo insieme agli altri sogni modificati. Si tratta di rinunciare a qualcosa di complesso come il significato stesso di quello che si pensava di essere. E comunque i libri esisteranno ancora nel futuro? Perché scrivere se quasi tutto di questa terra, delle imprese, della natura, sta svanendo? Come non occuparsi soltanto delle meduse del mare e di ogni istante di Nico? Provo anche a non pensarci, a simulare di essere la stessa anche quando tutto attorno a me è così diverso, ma mi affeziono all'idea che la mia routine precedente fosse quella efficace per scrivere. Mio marito. La vecchia casa. Nico più piccolo o Nico che non c'era ancora. La mia infelicità e la mia felicità con loro. Per dimostrarmi diligente comincio comunque due libri possibili. In uno dopo sessanta pagine lascio i protagonisti sospesi in una funivia sopra un crepaccio e non li faccio scendere mai più. In un altro ci metto novanta pagine per accettare il fatto che non lo finirò. Quando abbandono i protagonisti, loro stanno correndo via, fuori da un parco, nella città di Londra. Uno dei ragazzini ha accoltellato un altro ragazzino e io non ho la forza per salvare nessuno.

«Scrivi?» mi ripete mia madre.

«Non faccio altro» le dico.

«Intanto non essere mondana.»
«Sto sempre a casa.»
«Di certo non quanto stava a casa Virginia Woolf» dice lei.
Fingo di avere un'opinione diversa ma in realtà sposo la sua idea. Non sono mondana ma tutto mi distrae. Le tazzine del bar. I cani. Le righe di bic. Ho sempre più colpe. Non amo abbastanza. Non mi occupo di chi sta male. Non ho chiamato Maria in ospedale. Non ho chiamato Alessandro in ospedale. Non ho dato un fratello a mio figlio. Non ho abbracciato abbastanza mio marito. Sono stata infedele. Le mie piante sono quasi morte. Non vado a trovare mia nonna abbastanza spesso. Quando mio nonno è morto non ho aiutato mia nonna. Non ho aiutato neanche mia madre. Non ho mai chiarito nulla con mio padre. Non permetto al mio nuovo amore di essere amore. Nei sogni ho commesso omicidi per cui non vengo punita.
«Come stai nonna?» la chiamo.
«Benissimo. Ho fatto una bella camminata. Ho giocato a carte. Ora c'è una mia amica per il tè. Come sta il bambino?»
Mia nonna è felice. Ogni tanto dice che ha le angosce, al plurale, ma comunque lo dice sorridendo. Dire angosce al plurale le rende subito meno inquietanti. L'angoscia, quella senza senso, quella della morte, esiste solo al singolare. Quando ha l'influenza sostiene che è pronta a morire, ma quando le passa l'influenza non è più pronta a morire.
«Nico è dolce, gentile» le dico.
«Quando me lo porti?»
«Magari domani. Ti faccio sapere se riesco a incastrare tutto.»
«Va bene, non ti preoccupare» mi rassicura.
«Ci provo.»
«E le mie piante?» chiede.
«È venuta Maria, se ne occupa lei. Si stanno adattando.»
Mia nonna non vuole che noi nipoti facciamo fatica per lei, che ci preoccupiamo, che attraversiamo la città per sa-

lutarla. Anzi, non è esattamente così. In realtà vuole vedermi con tutte le sue forze, ma con tutte le sue forze non vuole creare complicazioni. Io so già che domani non riuscirò a incastrare tutto. Lo so bene. Vorrei vederla sempre e non la vedo quasi mai. Vorrei che non morisse e neanche io voglio morire. Non voglio assolutamente morire. Mia nonna ha commentato l'annuncio del mio divorzio con un'unica frase:

«E va ben. Cosa ci vuoi fare.»

Infatti va ben e che cosa ci voglio fare.

La sera con Nico stiamo sul terrazzo prima che scenda il sole. Fa freddo e dobbiamo metterci la giacca e la sciarpa. Le scarpe spesso le lasciamo dentro. Un merlo ogni tanto si avvicina a noi ma non si posa mai sul terrazzo. Quando uno di noi lo indica all'altro, quello è già volato via. Insieme non lo vediamo ancora. Insieme però ne parliamo molto. Il merlo sarà così, il merlo sarà cosà.

il merlo sarà così, il merlo sarà cosà

«Mangeremo all'aperto tra un mese o due» gli dico.

«Quanto è un mese?» mi chiede Nico.

Non lo so come si spiega quanto è un mese. Guardiamo il nostro nuovo pezzetto di cielo e con i piedi gelati prendiamo la misura dei nostri nuovi metri quadri. Prendiamo la misura di quando siamo soli e nessuno deve tornare a casa da noi. Del silenzio. Del tempo. Rimetto in ordine le mie paure e imparo a conoscere una nuova emozione che a volte mi riempie il cuore ed è simile a un attacco di panico, ma è in realtà un attacco di felicità. È una felicità vicina sempre alla commozione e il mio è come un delirio amoroso.

Sul terrazzo a Nico piace spostare la terra dai vasi e io gli dico che è vietato. Che altrimenti le piante muoiono. Non so neanche se è vero ma comunque non voglio che sporchi e disturbi le radici e le piante. Le guardiamo tutte, una a una e ogni giorno. Non ho ancora memorizzato i nomi. Conosco quelle facili. La rosa. La menta. Poco altro.

«In inverno cambiano poco» gli spiego.

«Perché?»

«Più o meno dormono. Fanno piano.»

A lui piace guardare le piante e anche a me. Vorrebbe un albero di albicocche. Vorrebbe un cane. Vorrebbe che gli uccellini si posassero sulla sua spalla. Mi chiede come si piantano i broccoli. Gira con lo skate o con il monopattino e io spio le finestre degli altri, le luci che si accendono, le altre famiglie e le altre case. Quelle più vicine e quelle più lontane. Immagino una riunione collettiva mondiale in cui ci abbracciamo e ci diciamo che ogni cosa andrà bene. Immagino una famiglia enorme dove tutti sanno ridere e amare. Un letto con molti bambini. Il letto di mio nonno con molti bambini. A volte il letto di mio nonno con un padre, una madre e molti bambini. Se sono in forma ci riesco a ficcare dentro pure la nonna e qualche amica. Annuso le piante della città e respirando è come se potessi accogliere le piante di tutto il mondo e collegarle allo stesso sistema di irrigazione. Così rimango e rimaniamo mentre mi stringo nella sciarpa e controllo che Nico sia coperto bene perché quando io ho freddo alla gola lui ha freddo alla gola e quando lui ha freddo alla gola io ho freddo alla gola. È così per le gole di tutti gli abitanti della terra?

«Vieni da me» mi dice ancora il mio nuovo fidanzato. Io inizio a dire di sì sempre più spesso, a fare le valigie. Accetto tutti i check-in richiesti e salgo sugli aerei.

«Ti stai trasformando» sussurra la cartomante.

«È obbligatorio?» chiedo io.

«Se preferisci ci prendiamo un caffè» sorride lei. «Ma i miei caffè sono notoriamente schifosi.»

Inizio a soffocare. Lei è ancora seduta sulle mie gambe e mi stringe. La stringo anche io. Il quarzo rosa cade a terra. Non si rompe ma ho paura che la cartomante sia arrabbiata. Scruto il suo viso: non è arrabbiata. Solleva il quarzo e lo rimette fra noi. Mi guardo le mani, le apro e scopro un fiore.

«Mangialo» mi dice la cartomante. E io mi mangio subito il fiore.

Verdissima, forte

Così, mentre Maria si lasciava con il suo fidanzato, mentre io viaggiavo avanti e indietro sopra le Alpi e mentre Diana e Alessandro si separavano, Alessandro ha incontrato di nuovo Luisa. Luisa era una sua amica di secoli prima. Era passata a trovarlo per vedere come andava questa sua questione del quasi morire. Durante la convalescenza si sono innamorati di nuovo e si sono fidanzati di nuovo.

«È brutto dirlo, ma l'incidente è stato meraviglioso» mi spiega Alessandro. «Intanto mi ha portato Luisa e poi mi ha fatto cambiare. Mi sentivo sfortunato, solo. Invece in molti mi hanno accudito. Mi sono fermato per forza e per forza mi sono dovuto occupare di me e di capire chi ero. Ho dato sicuramente molto dolore. Mia madre ha un'altra faccia ora, è invecchiata di botto ma io sono felice che mi sia successo.»

Quando me lo dice piango e anche lui piange. Noi di certo si piange tutti spesso. Del resto ormai piove anche molto spesso. Guardo una delle carte dell'ospedale che Alessandro ha portato con sé. In alto c'è scritto "Tipologia incidente: frontale, in moto".

«Prima potevo raccontarmi che nessuno mi amava. Mi sono dovuto ricredere.»

Per caso siamo nello stesso ristorante in cui mia madre e mio padre hanno mangiato dopo aver firmato il divorzio. Lo dico ad Alessandro. Lui capisce.

«Be', è appena entrata la ragazza con cui ero al bar la sera dell'incidente» mi dice lui. Sorride.

«Se posso, aggiungerei che il giorno in cui hai avuto l'incidente io e Maria parlavamo di te di fianco alla Roland Ultra. Quindi forse ha un qualche significato che ora la macchina stia per partire per l'India dove ricomincerà a stampare.»

Mentre gli dico della Roland Ultra, penso a chi verrebbe in ospedale da me, per un incidente mio. Mio marito o il mio nuovo fidanzato? Guardo Alessandro e ordiniamo altri caffè. Lui e Diana ogni tanto si vedono ancora. Sono quasi amici. Possono cenare insieme, fare due chiacchiere. Possono anche litigare o piangere come appunto piace fare a noi. A volte Diana mi dice che Alessandro fidanzato con un'altra la fa soffrire. Altre volte che va benissimo così e non la fa soffrire assolutamente. Non so se si ricorda di avere due posizioni così diverse, ma non potrà mai dire altro che questo e fare altro che crederci ogni volta. Allontanati da me. Avvicinati. Vivo solo grazie a te. Vivo solo lontano da te.

La Roland Ultra dunque sta per partire per l'India. In effetti mia madre non aveva mai pensato di venderla ma quando il signore indiano glielo ha proposto ha subito cominciato a pensarci. Credo soprattutto perché lei con l'India ha una lunga storia e spera anche di essere stata indiana in una vita precedente. Ogni tanto mostra foto di bambini indiani o di intere famiglie indiane che durante i suoi viaggi le hanno proposto di adottarla. Fotografa anche molto le mucche indiane e le cacche delle mucche indiane sui muri vicino al fiume Gange. Così un signore indiano e la Roland Ultra si capiva che le davano un piacere diverso che, per esempio, un signore italiano e la Roland Ultra. Meno di tutti le avrebbero dato gusto un signore inglese e la Roland Ultra. A Londra le persone non le piacciono granché e sono tutti troppo materiali, ci sono troppi ricchi. Adesso che la frequento io, Londra le piace ancora meno.

«È troppo mondana» mi ripete spesso. «Proprio come te.»

«A Londra dormo vicino alla prima casa di Virginia Woolf» propongo io.

Al secondo posto, dopo un signore indiano, le sarebbe potuto interessare un signore francese e la Roland Ultra, giusto perché avrebbe sempre voluto abitare a Parigi e i francesi la trattano come si deve anche in termini di seduzione. Comunque, le altre macchine della stamperia di mio nonno erano state nel tempo vendute. La Roland Ultra invece era rimasta perché era così bella, forzuta e tutti l'amavamo molto. Quando infatti aveva chiesto il nostro parere l'idea non mi era piaciuta.

«È il genio del posto» le avevo detto. «Non deve andare via. Senza la macchina saranno solo tre stanzoni vuoti.»

«In India tornerebbe a stampare» mi aveva detto lei. Lo aveva detto con la voce da indiana, per farmi ridere.

«Quanto ti pagano?» le avevo chiesto obbligandomi a non ridere per la sua voce indiana.

«Non è una questione di soldi. Comunque diecimila euro.»

«Non voglio» avevo dichiarato.

La Roland Ultra ai tempi di mio nonno valeva un miliardo. Una cifra da scrivere sui fumetti di quando si era piccoli. Un miliardo! Anche alla parola un miliardo avevamo dovuto cambiare ruolo. L'assegno da un miliardo delle lotterie! Il signore indiano che la voleva comprare era uno stampatore ma la sua stamperia era diventata un ospedale per i bisognosi. Come potevo combattere contro tanta giustizia? E contro tanta giustizia condensata in un signore indiano? Durante una cena mia madre aveva raccontato il possibile viaggio della Roland a un suo amico artista. Lui le aveva detto che era un tragitto bellissimo e le aveva dato l'idea di seguire la macchina.

«Non voglio» avevo ripetuto io. Ma nessuno mi ascoltava più.

Il giorno dell'inizio dello smontaggio gli operai che lavoravano con mio nonno vanno a salutare la macchina. Alcuni artisti passano a fotografarla, altri a disegnarla. Quando la prima corazza della macchina viene staccata, i bulloni e un enorme tubo la fanno sembrare ancora di più un elefante, ora sotto i ferri. La Roland rivela motori piccoli e tondi, incastrati molto dolcemente. C'è freddo e le foto di quella mattina raccontano il pieno dell'inverno. Quando anche io incontro Mr Bharat, mi dice che se a smontare la Roland c'è voluto un giorno, a rimontarla ci vorrà invece un mese intero. «*It takes no time to destroy, it is very long to create*» mi spiega. Le parti della Roland vengono caricate sui camion, nei container attraversano i mari e poi l'India, mentre da noi le ore di luce diminuiscono e la menta ormai occupa gran parte del lato destro del mio terrazzo.

La menta del mio terrazzo profuma molto ma è anche molto infestante. Ha preso spazio tra le radici e le foglie delle altre piante. La uso per cucinare e al mattino, quando il sole batte, anche il sole freddo dell'inverno, la menta manda un profumo potente che è simile a quello della marijuana. Non è una menta particolarmente buona da mangiare e a volte quando preparo le zucchine alla menta o le lenticchie alla menta o qualunque altra cosa alla menta, rovina il piatto. Ha un retrogusto amaro e non prevedibile: del resto chi l'ha piantata era triste dalla fronte al naso e felice dal naso in giù. Prima di avere un terrazzo con la menta non sapevo che ce ne fossero così tante varietà. Quando qualcuno viene a trovarmi, ne taglio dei rami e li avvolgo in una foglia di giornale come regalo. Preparo il tè alla menta. Strappo foglioline da far annusare a Nico. Avverto tutti che a volte è buona e a volte è amara. Comunque, godiamo di un bene commestibile che non si esaurisce mai.

«Questa menta va tenuta sotto controllo» mi dice Maria fin dall'inizio. Io annuisco anche se non so come si tiene sotto controllo la menta. Lei sa cose sul futuro che io non so. Sa per esempio prevedere come cresceranno le piante mentre per me è tutto una sorpresa. Sa che se anche ora è tranquilla e ha tutta l'aria di essere spoglia, la menta un giorno sarà folta e troppa. Io pensavo fosse sanissima a crescere così, a dismisura e ovunque. Cresce anche nelle fessure delle piastrelle, lungo i cornicioni.

Non so come si tagliano i rami delle piante per farle crescere meno. Non so come si limita l'infestazione e come si vive in questa nuova casa. Non so come lasciar stampare di nuovo la Roland Ultra e come si accoglie la trasformazione.

«Vuoi della menta?» dico a ripetizione a tutti perché questa è l'unica cosa che so fare per liberarmi delicatamente di lei.

La menta a casa di mia madre è sempre buona invece. Molta meno, ordinata e gustosa.

«Mi dai della menta?» chiedo a casa sua. Ma la menta a casa sua è poca e tenuta sotto controllo, quindi di rado ce n'è abbastanza da portare via. Di certo la mia anche se è infestante è molto bella da vedere. Verdissima, forte.

Tra la menta, il terrazzo e il silenzio, in questa casa io e Nico iniziamo a stare meglio e questo anche perché abbiamo vicini gentili. Soprattutto abbiamo vicini gentili che si vedono spesso perché curano le loro piante e quindi stanno all'aperto come noi. Nelle case precedenti non vedevo mai nessuno. I vicini sono più bravi di me con le piante e lungo i loro balconi e lungo le parti comuni della casa di ringhiera che dividiamo tutti, crescono peperoni, melanzane e molti fiori. Hanno piante grasse, ulivi, piante fiorite. Quando li incrocio vorrei avvertirli che, nonostante un avvio a rilento, ho cominciato a occuparmi insieme a Maria delle piante e che il mio balcone e il mio terrazzo staranno presto meglio. Vorrei spiegargli che dovevo adattarmi, prima. Invece dico solo ciao. Aggiungo dei sorrisi ai ciao e poco altro.

Piano piano però comincio ad accarezzare i loro cani e i loro gatti. Diventeremo amici, dico tra me e me, quando anche io e Nico convinceremo gli uccellini a posarsi sulle nostre spalle e a preparare con noi il letto, apparecchiare la tavola, ballare insieme.

La sera poi, quando ho paura dei rumori e del buio, penso alle porte di legno così vecchie e senza serrature forti. Verrebbero giù con una spallata e se mi sento in pericolo mi ripeto che appunto ho vicini gentili. Famiglie, bambini, coppie e animali. A pochi centimetri da me c'è un gatto. Un ulivo. Lì di fronte un cagnolino. Una mamma. Sono divisi da me e Nico da un muro ma siamo per forza dalla stessa parte. Per forza ci infiliamo tutti nel letto del nonno. Lo so che non siamo una famiglia ma so anche che invece lo siamo. Dormo di nuovo con la luce accesa come fino al giorno in cui sono andata a vivere con mio marito.

«Ti spengo la luce» dico invece a Nico.

«Lascia aperta la porta» mi dice lui. «Ho paura.»

«Non c'è niente di cui avere paura» lo convinco.

«Potrei essere il primo che vive per sempre?» chiede.

«Potresti» gli rispondo. E sono sicura che potrebbe proprio essere.

Io avevo paura del buio anche alla sua età e già tenevo la luce accesa. Capisco solo ora quante delle cose che mi ha detto mia madre per rassicurarmi non erano vere neanche per lei. Non può succederti nulla. Ci sono io. Non è niente, Maria. Sarà una congestione. Forse è un colpo di caldo. Le madri non si ammalano mai. I figli non si ammalano mai. Ti amerò per sempre.

A volte di notte mi scrivo con mio marito. "Come stai?" gli chiedo. "Qui Nico dorme. Va tutto bene" aggiungo nel messaggio successivo. Capita che lui risponda alle undici della mattina dopo. "Scusa, dormivo." Oppure "Tutto bene. Magari dopo passo". "Dopo quando?" gli chiedo. L'accesso alla mia casa è sia sregolato che regolato. Intende dopo all'uscita della scuola? Dopo durante la cena? Dopo in senso metaforico? Scrive "magari" perché sa già che non passerà ma quella formula pare funzionare? Mangia con noi o non mangia con noi? "Ci sentiamo dopo pranzo. Vedo come sono messo." Ci ritroviamo spesso a scambiarci comunicazioni così, che non organizzano o aggiungono niente. Se sono di buon umore non ci penso. Se sono di cattivo umore mi ricordo del terapeuta che sostiene: «Dovete organizzarvi, non potete avere un accesso disordinato uno alla casa dell'altro». Capisco ora che voleva dirci che certi giorni la vaghezza ci avrebbe fatto male. Che piano piano la distanza avrebbe complicato le abitudini. Le nostre vite avrebbero preso spazio, come la menta. Non è a me che deve dire cosa farà. Non è lui che io devo aspettare. Casa non è casa nostra. Nel letto del nonno ci stanno tutti tranne lui. A volte di notte sogno di preparargli da mangiare e lui non arriva. Se arriva mi dice che la carne è dura e la devo smettere di mangiare diverso e vegetariano. Altre volte sogno che mi chiede di sposarlo.

«Ti amo» dico ora al mio nuovo fidanzato.

«Non ho mai amato così in vita mia» mi dice lui.

«Ti amo tantissimo» aggiungo io.

Quando non c'è mi manca e in qualche modo ora mi mancano tutti, sempre. E con tutti intendo dire che mi mancano gli abbracci e i baci dei sette miliardi di persone che non conosco.

«Sei qui per amare!» mi urla la cartomante. «Non c'è niente di male! Non c'è niente di male neanche a riposarsi.»

«A risposarsi?» chiedo io.

«Taci, ok?» mi dice lei. Mi stampa un bacio in bocca prima di urlarmi di nuovo la parola amore.

Accetto il bacio e la parola amore mentre provo a restare immobile. È un finto immobile, come le piante che sembrano non muoversi e invece sono ovunque, si spargono di continuo e occupano ancora oggi il novantanove virgola cinque per cento del nostro pianeta.

Il giardino è pronto per il riposo

Mi arriva una mail di Maria in cui ricapitola cosa ha fatto le ultime volte sul terrazzo. Le ore di lavoro. Le prossime necessità. Leggo e rileggo la mail per provare a memorizzare qualche nome di pianta.

«Se le nomini esistono!» mi ripeto.

Però ora le piante sono tantissime e i nomi sempre più complessi. Arriva un'altra mail, più tecnica. Provo a memorizzare anche quella.

> Anna,
> ho smontato le centraline e le ho mandate in letargo. Ho tolto le pile e le ho riposte nell'ultimo cassetto del mobile rosso. Mi ero dimenticata di dirti che l'ultima volta avevo piantato un po' di bulbi primaverili, non ti dico dove, lo scoprirai. Tanto saranno i primi a spuntare. Ho avvolto il limone con il tessuto non tessuto. Ora è impacchettato come un fantasma, ma almeno è protetto se arrivasse il freddo vero. La camera di Nico riscalda il terrazzo da sotto, però è anche esposto al vento, quindi eviterei di rischiare. Ho ripulito e mondato: il giardino è pronto per il riposo. Ma non subito. Fra un po'. Maria

Mi piace come scrive ho smontato le centraline e le ho mandate in letargo. Mi piacciono i nomi delle piante. La vita pratica. Mi piace anche il suo specchietto con i numeri dei costi dove il lavoro è chiamato labor. E così ora so che il mio impianto di irrigazione si ferma e che la centralina deve essere smontata altrimenti si ghiaccia e si ghiacciano i tubi. Sono cose che tutti sanno probabilmente, e che da qualche parte forse sapevo già anche io, proprio come la parola labor o essere una madre anche prima di diventarlo. Ma noto suoni, colori, parole che prima non notavo. La fragilità di tutti. Il linguaggio delle piante, degli sciami, nostro. L'aneurisma e il matrimonio davanti alla Roland. La Roland che era di mio nonno e ora è in India. Il locale dove vedo Alessandro e dove mia madre e mio padre pranzano dopo il divorzio. Le tazzine di caffè usate e riusate. Le connessioni che a questo punto cerco ossessivamente con chi occupa con me lo stesso tempo sulla stessa terra. Non mi accorgo di nessuno e di niente se non in quanto connesso al resto, al movimento. E così non siamo più persone ma una unica macchia sfocata, acqua nell'irrigazione, sangue nelle vene, vita tutta insieme.

«Hai notato che la Roland, che in realtà si traduce Orlando ha il nome del figlio del primo artista che l'ha usata?» dico a mia madre. «Lui lo sa?»

«Sa cosa?» mi chiede lei.

«L'artista Luca Pancrazzi sa di aver chiamato suo figlio come la nostra macchina?»

«Basta con tutte queste finte connessioni» mi dice lei.

Me lo dice mentre andiamo al funerale di un suo grande amico. Era un amico speciale, unico. Lo amavamo tutti. Maria quel giorno in chiesa mi restituisce la sciarpa che aveva tenuto dal giorno dell'aneurisma. Lo stesso giorno poi, con un anticipo magico, sul terrazzo di mia madre fiorisce la rosa che il suo amico ora morto le aveva regalato.

«Ecco, questa è una connessione» dice mia madre guardando la rosa. La annusiamo.

Fa molto freddo e viene buio presto e così io e Nico stiamo sempre meno sul terrazzo. Le piante hanno meno bisogno di noi. La presa di temperatura è quindi rara, scostante. Sto male? Maria sta bene in questo minuto? Le mani di Alessandro sono guarite completamente o stanno guarendo ma anche invecchiando? Devo prendere un aereo o posso restare ferma? Siamo pronti per il riposo. Abbiamo mondato. Le radici sono più intelligenti.

«Vieni da me?» mi dice ancora il mio nuovo fidanzato.

«Vieni tu da noi» dico adesso io. «Facciamo una volta a testa, ok?»

Al freddo io e Nico ci ammaliamo a turno e a volte non andiamo a scuola o a lavorare. Quando vedo Nico malato a casa da scuola, mi ricordo la sensazione esatta di stare a casa quando ero bambina io. Il vetro delle finestre che mi separava dal gelo, la conquista di ore casalinghe che non erano mie, i cartoni animati mezz'ora al mattino. I programmi tv per le signore. Mia nonna che passava a trovarci. Il mondo degli adulti che esisteva anche senza di noi, nelle ore in cui tutti i bambini erano via. Chi avrebbe sospettato che dove non guardavo e dove io non ero, c'era vita?

Anche mia madre ora passa a trovarci, le sono sempre piaciuti i bambini con il pigiama e l'influenza. Ha un piccolo regalo per Nico, come mia nonna aveva un piccolo regalo per noi. Una penna fosforescente. Un quadernetto nuovo o degli stickers che se li strofini profumano. Provo a immaginarmi di essere una nonna anche io. Portare regali ai nipotini che arriveranno. Provo a immaginare che non avrò più i denti e passo la lingua sulle gengive. Mi chiedo tra quanto mia madre perderà i denti. Tra quanto li perderò io. Nico.

«Fa freddo in questa casa» dice ogni volta e ogni volta io ho una botta di gelo nuova e la mia casa mi sembra più spoglia e più brutta di un minuto prima che lei arrivasse. Si mette a leggere un libricino a Nico, sgraffigna dalla dispensa qualche mandorla o un pezzetto di cioccolata e dopo neanche un'ora riprende la bici e se ne va. Le piace arrivare e le piace molto andare via. Anche a noi piace che arrivi e anche che vada via. A me soprattutto piace che Nico torni come è quando è solo con me: più dolce e ancora più gentile.

«Smettila di dire a Nico che è bello» mi dice mia madre prima di andare.

«È bello!» rido io.

«Ma non si dice!» mi ripete lei, e sorride ma è inflessibile. Ci crede davvero al fatto che non bisogna dire ai bambini che sono belli ma io non ho capito perché. Forse perché non bisogna diventare vanitosi.

Le poche foglie del terrazzo diventano più scure e anche la città e il nostro cielo. Stiamo chiusi in casa il più possibile e ci sono pochi posti fuori di qui dove ci piace andare e anche se a terra le foglie sono poche, lo stesso la sera spazzo il terrazzo e a volte non è neanche sera, sono le cinque e siamo già al buio.

Mio marito viene a mangiare da noi meno spesso e quando Nico comincia a dormire da lui io vado poco da loro. All'inizio mio marito viene qualche volta prima di scuola per accompagnarlo ma anche questa è una abitudine che abbandoniamo. Se apre il frigorifero ora chiede: «Posso?».

Con velocità iniziamo a conoscerci meno. Non so cosa pensa. Cosa fa. Provo ad aggiornarmi nei dieci minuti in cui di rado ci incrociamo ma lui non mi dice molto. Vedersi al bar diventa una rarità e quando succede mi sembra di fargli delle interviste. Io sono imbarazzata e più timida. Lui risponde poco e controvoglia. È un'intervista a qualcuno che non mi incuriosisce e non è gentile con me. A me non chiede nulla. Non mi chiede se scrivo, che lavoro sto cominciando o finendo. Non mi chiede cosa penso. Ci scambiamo informazioni su Nico e ci organizziamo meglio che possiamo. Così, mentre il sole sorge, lui sparisce a una distanza in cui non riesco più a vederlo. Ombra, macchia. Macchia a cui posso affezionarmi?

«Riesci a prenderlo tu per portarlo in piscina?»

«Sì.»

«Tutto bene?»

«Tutto bene.»

Mi restano le foto e le lettere e poi certo, Nico. E tutti i segni di un amore molto grande cui non ho assolutamente più accesso. So che il nostro amore c'è stato ma non posso più provarlo. A volte è un pensiero straziante mentre altre mi sembra semplice e fisiologico. Come andare a riposo.

«Non mi scrivere messaggi, per favore» mi dice una sera.

«In che senso?» gli chiedo.

«Non stiamo più insieme, magari dà fastidio a me o alla mia fidanzata che tu entri nella nostra intimità.»

«D'accordo» gli dico.

Ripercorro le parole dette così poco tempo fa in terapia. Saremo sempre uniti, noi siamo diversi. Provo ad avvicinarle alla richiesta di non scriverci più messaggi e mi adatto all'idea che siamo diversi ancora una volta. Ma diversi fra noi, non dagli altri. Provo ad avvicinarle all'idea delle piante ora, immobili e in pausa, nel loro bisogno di cure. Chissà cosa ha mangiato questa sera, mi chiedo ogni tanto. Chissà come bacia il suo nuovo amore. Sono sinceramente curiosa. Se non capisco, se non mi accorgo di quello che abbiamo fatto e di quello che accade, sarà tutto sprecato. Se non conosco i nomi delle piante come faccio a curarle? Se lo allontano del tutto, avremo perso. Forse è la giusta distanza in cui mettere le mie radici, sapere che esisto senza che lui sappia chi sono.

«Possiamo parlare?» gli chiedo allora ogni tanto.

«Non ora» risponde sempre.

I messaggi non vanno più bene. Le mail non vanno più bene. Guardarsi negli occhi non è più possibile. Non possiamo più parlare e questa è la nostra nuova geografia.

"Posso passare a vedere come stanno le piante?" mi scrive Maria. Maria chiede sempre per prima di passare. Non ci penso io e non glielo chiedo mai io. Le visite sono una cosa fra lei e le piante. Io sono solo un tramite. Non sono mie le piante, sono sue. Che poi lei direbbe che non sono neanche sue ma sono di loro stesse. Io le ospito, d'inverno, in primavera, d'estate. Anche quando è all'estero o in viaggio, mi scrive e mi chiede di raccontarle come va.

> Ciao Anna,
> volevo dirti di dare un'occhiata alle piante che non prendono l'acqua quando piove, quelle sul balconcino giù, coperte dalla tettoia. Penso soprattutto a tre vasi: quello a cassetta e i due tondi. Ogni tanto se sono asciutte date un po' d'acqua, di mattina, in un giorno che non gela. È fiorito il leboro? Tengo d'occhio il meteo di lì. Baci, Maria

Maria ha il meteo della nostra città sul telefonino e quando è lontana lo controlla sempre.

"Domani forse non piove" mi scrive appena è in città.

"Ti aspettiamo" le rispondo.

Così Maria arriva e quando arriva è emozionata. Vuole vedere se i cadaveri sono rimasti cadaveri, perché non è mai detto, e controlla se l'acqua non ha ghiacciato e che i vasi siano nutriti come si deve. Fa un'altra ripulita e si occupa di alcuni rinvasi. Le piante ora sono dormienti e soffrono meno per il trasloco.

«Farle traslocare fiorite» mi dice, «è come far traslocare una donna incinta.» Mi spiega che quando è in piena terra ci sono vari modi in cui una pianta riesce ad attingere alle risorse, perché nella terra c'è la vita. I funghi, o anche i lombrichi, possono sbloccare le sostanze nutritive. Nei vasi questo non succede e così c'è bisogno di una concimazione organica.

«A volte nei vasi vedi solo radici ed è come se avessero mangiato tutta la terra. Le radici allora iniziano a crescere in tondo, sempre più circolari, sempre più strette e finiscono per autochiudersi su loro stesse. Per questo c'è bisogno di spazio, terra. Terra nuova anche.»

le radici sempre più strette

Io quando Maria arriva sono invece emozionata di vedere come sta lei, se la sua salute è ancora a posto, se il suo corpo è forte e quanto soffre per la fine del suo amore. Quanto sono lunghi i suoi capelli. Se stiamo tutti riuscendo a non autochiuderci su noi stessi.

«Certe piante secche date per morte rinascono e cominciano a fare nuove foglioline. Prima di morire le piante vanno in una sorta di stand-by o in convalescenza» mi spiega Maria. «A volte anche per un anno. La prima cosa che fa una pianta quando sente il pericolo è fermarsi. Per esempio, qui da te il corbezzolo e la feijoa hanno ributtato ed erano in coma.»

Maria mi porta sempre qualcosa di nuovo. Piante che cresce lei o compra alle fiere e nei vivai fuori città. Le piante che mi porta di solito costano dai due ai dieci euro. Sono piccole piccole e devono ancora cominciare a svilupparsi.

«Hanno tutti fretta e le comprano grandi. Lo potremmo chiamare il pronto-verde. Qualche pianta si può anche comprare grande per fare prima e coprire dove serve, lo capisco, ma a me piace che le piante nascano e crescano davanti ai miei occhi. Mi piace anche vedere come crescono con me e non con qualcun altro. Cosa sappiamo fare insieme. Scegliere una pianta al massimo della sua bellezza non può che costringerti a seguirne la fase calante. Come se si scegliesse la vecchiaia invece della giovinezza.»

Anche io all'inizio avrei preferito le piante grandi. Almeno per coprire i buchi e per avere una soddisfazione veloce. Così come avrei voluto i fiori subito e invece li seminiamo e bisogna vedere come va. Non è mai detto che quello che cresce poi cresca bene. Che ci si ami per. Che il sole domani. Eccetera.

«Ti ho messo un evonimo alato che in autunno diventa rosa acceso, un ligustro aureo, che rimane più piccolo di quello comune, e qualche perenne.»

«Quando crescono?»

«Cresceranno in primavera e fino al caldo forte. Poi rallenteranno un poco, cresceranno di nuovo alla fine dell'estate e sempre meno andando verso l'inverno. La parte aerea delle perenni in inverno scompare ma covano sotto la terra e rispuntano anno dopo anno.»

«E quanto crescono?»

«Un poco meno di quanto farebbero in piena terra e un poco meno di quanto ti stai immaginando tu in questo secondo.»

Il mio fidanzato e mio figlio intanto cominciano a conoscersi. All'inizio Nico non sa che è il mio fidanzato e lo accoglie come un amico in mezzo ad altri amici. Abitiamo appunto in due città diverse, addirittura in due stati diversi e anche noi dobbiamo trovare un modo di stare insieme. Non basta una macchina e non basta un treno. Ci vuole sempre un aereo. Incontrarsi, lasciarsi, questo ci succede continuamente. Mancarci. Abituarci alla mancanza. Odiarla. Pensare che invece funziona. Poi che non funziona di nuovo. Ci conosciamo noi e si conoscono lui e mio figlio. Ci sono mogli e mariti e figli con noi. In ogni cosa che facciamo e in tutte le scelte, siamo sempre in molti e anche quando siamo soli io e lui, ci sono tutti. E quando siamo soli l'assenza dei nostri bambini è qualcosa di molto presente. Vedere lui e Nico insieme mi riscalda il cuore e mi fa desiderare moltissime cose contro cui mi sembra di dover combattere. Abitare con lui altrove. Abitare con lui a casa mia. Abitare con lui a casa sua. Abitare noi due in una casa nostra. La stessa parola casa.

Il mio fidanzato compra dei semi e insieme lui e Nico piantano i girasole sul terrazzo. C'è scritto girasole giganti. Mi sembra una presa di posizione notevole, anche per una foresta botanica e sentimentale. Corrono in giro tra i vasi, lungo i balconi e ne mettono ovunque. Lui non ama Nico come se fosse suo. Io non amo i suoi due figli come fossero i miei. Non accompagniamo in piscina i figli uno dell'altro. O dal dottore. O dagli amici. Non abbiamo abitudini e ci manca sempre qualcuno. Dobbiamo sempre chiedere ad altri se vogliamo fare un viaggio o se dormire altrove va bene. Non possiamo decidere da soli. *It takes no time to destroy, it is very long to create.*

«Dove li avete piantati?» chiedo.

«È un segreto» mi dice Nico.

«È un segreto» conferma il mio fidanzato.

Mi piace l'idea di un segreto piantato apposta per farsi scoprire. Prima o poi verrà tutto fuori e tra l'altro sarà un fiore. Giallo.

Guardare crescere un albero

Le giornate cominciano ad allungarsi e nei vasi spunta qualche fogliolina.

«Prendi tu Nico mercoledì sera che sono a Londra?» chiedo ogni volta che parto a mio marito.

«Certo» mi dice sempre lui.

Prima di partire ho paura. Nico mi sembra fragile come non mai. Ha le tonsille più grandi o la voce da mal di gola. Mi convinco che il suo sonno è più agitato e lo controllo durante la notte. Il mattino della partenza gli apparecchio la tavola con più attenzione. Pure il cucchiaio, voglio che sia veramente parallelissimo al piattino. Penso che non ci vedremo più. Mi chiedo se si ricorderà di me da grande se sarò io a morire domani. Guardo quanti biscotti mangia e controllo quanto latte beve. Mangia meno del solito? Mangia più del solito? Vomiterà mentre io sarò lontana? Se morirà lui io come mi ucciderò?

«Stai bene?» gli chiedo cento volte.

«Sto bene» mi risponde Nico.

«Benissimo perfetto?»

«Benissimo perfetto» conferma.

«Torno tra tre giorni» gli spiego. E contiamo i giorni sulle mani.

«Sono pochi» mi dice sempre Nico e me lo dice anche quando i giorni sono sei, otto.

«Ci telefoniamo?» gli propongo.

«Abbracciamoci» mi dice e mi abbraccia molto forte. Lo bacio e lo mordicchio e allontanarmi da lui è un movimento innaturale. Zoppico.

Quando sono via Nico non mi telefona mai. Se suo padre gli propone: «Chiamiamo la mamma?», lui dice no. Anche quando è con me e gli propongo: «Chiamiamo papà?», mi dice no. Se chiamo io mi dice solo: «Ti amo tanto mamma, ciao». Non ha la malinconia, mi raccontano che non chiede di me e che è felicissimo e gentile. Una volta decollata non ho neanche io la malinconia. Sto bene. Lavoro. Mi concentro. Quasi scrivo. Tornare a casa a volte anzi mi pesa. Però in aeroporto alla felicità di riabbracciare Nico si aggiunge la voglia di vedere come sono cresciute le piante. Penso alle piante anche quando sono lontana e mi raccomando con tutti di passare a bagnarle e vedere come stanno. Mentre volo e sono sopra le nuvole mi chiedo se qualche nuovo fiore laggiù è arrivato e se il fiore che è arrivato è giallo, rosa o di che colore.

«Se non mi baci muoro» mi dice Nico mentre la sera prende sonno.

«Se non mi baci muoio» lo correggo e lo bacio. Lo correggo solo nel verbo, perché il pensiero mi pare giusto.

«Senza i baci il corpo si ammala. Soprattutto le gambe» specifica lui.

Sia Maria che Alessandro quando raccontano i giorni di ospedale partono dal fatto che qualcuno li ha lavati e manipolati. Dicono che l'imbarazzo di essere puliti come bambini anche nelle parti intime non li ha smossi più di tanto.

«Non sei né maschio né femmina. Sei un corpo e il pene o le tette sono parte di quell'insieme di carne e ossa. Non hanno nessun significato ulteriore» mi dice Maria.

Tornare a essere bambini e dipendenti non è solo triste,

mi spiegano. È cura. Se ti toccano stai bene. Se non mi baci muoro. Nominami.

«Quell'estate, quando sono tornato a casa dall'ospedale» mi dice Alessandro, «non facevo nulla. Non potevo neanche alzarmi in piedi. Stavo dai miei genitori e una volta a settimana l'ambulanza mi portava a fare le medicazioni. Ogni tanto qualche amico mi passava a trovare. A casa e in ospedale c'era l'aria condizionata e quei pochi metri nel cortile, quando in lettiga mi portavano all'ambulanza, invece erano caldi. Quell'afa così reale e non comandata da un aggeggio era pura vita. Tutto era sospeso, la relazione con Diana, il lavoro, dover pensare al mio futuro in qualunque altro modo che non fosse respirare, esserci. Quindi anche la mia felicità non dipendeva da nessuna di queste cose. Ho una grande nostalgia di quei mesi.»

Farmi raccontare quei mesi da Alessandro e Maria, anche per me ha a che vedere con la nostalgia. Ho nostalgia anche dei posti in cui non ero. Di quelli in cui non ci sarò tra duecento anni. Di quelli in cui non sono stata in questi trentasei e trecentosessantamila anni. Di tutti i figli che non sto avendo. Dei libri che non sto scrivendo e di tutti gli altrove che non potrò mai vivere, raccontare.

Alessandro nel dover solo respirare ed esserci si sentiva come da piccoli o da vecchissimi: nessun altro senso se non quello di vivere. Così mi accorgo che mia nonna intanto è diventata vecchia. È successo in una vita intera ma di fatto, per me, è successo oggi. È stata via per una vacanza in montagna, è scivolata e si è incrinata una costola. Il dolore alla costola e la caduta l'hanno fatta passare da molto anziana a molto vecchia. Da quel momento ha i capelli tenuti peggio. Un cerotto al dito. I piedi gonfi. Sente di meno. Le tremano le mani. È più triste. Per una che quando ha l'influenza desidera essere morta, il dolore di una costola incrinata è l'abisso.

«Quando nascono i gemelli della babysitter di Nico?» mi chiede. E la babysitter non aspetta i gemelli.

«Domani allora vai a Roma?» mi domanda appena le dico che domani andrò a Londra.

Ripetere le cose diventa obbligatorio. Sapere che non le ricorderà e che si sta appannando la vista, l'udito, l'olfatto anche. Ogni sua esperienza ha l'aria di essere offuscata da una patina di distanza che poi è la vecchiaia. Una cataratta su tutto. Da un certo punto di vista Roma o Londra è identico, chi avrà i prossimi gemelli sul pianeta terra è irrilevante, i dettagli di ognuno sono solo dettagli. Gioca a carte con Nico e a tutti e due piacciono le stesse cose. Il gelato alla vaniglia, per esempio. E i disegni sul legno del domino e suonare il pianoforte con due dita.

«Mangia bene il tuo bambino?» mi chiede. Per tutta la vita l'ha chiesto a ogni mamma che ha incontrato, a sua figlia, alle sue nipoti. Anche quando andiamo ai giardini e una mamma le si siede vicino lei chiede: «Mangia bene il suo bambino?».

«Mangia abbastanza bene» le dico io, anche se Nico non mangia mai niente.

«E dorme bene?»

«Dorme tanto» le sorrido. «Al mattino lo devo svegliare.»

«Che bel visin.»

Anche noi siamo stati dei bei visin e ora è il turno di Nico. Ogni tanto dice che invecchiare è terribile e le sue amiche si lamentano sempre di tutte le malattie e di tutti i dolori. Quando vedo la sua calvizie vedo anche la mia. Dice che le sue amiche sono grasse e si vanta di non essere grassa. Mi dice mi sta questo vestito che ha trentasei anni. Mi sta questa gonna che ha quarantasei anni. Mi stanno questi pantaloni che hanno dodici anni. Io mi stupisco sia del fatto che le stiano le gonne che hanno quarantasei anni sia di tutta questa precisione: come può ricordare le età dei vestiti? Nel suo racconto va bene essere precisi invece che sfocati?

Altre volte mi dice che va tutto troppo veloce, vuole vivere ancora tanto. Anche io voglio vivere ancora tanto e di certo da vecchia non voglio essere grassa come le sue amiche.

«Al lunedì cambio le lenzuola» mi spiega. «Ma a volte mi impunto e non le cambio perché la settimana è durata troppo poco. Non può già essere arrivato un altro lunedì.»

Mi racconta sempre cosa ha mangiato e cosa mangerà. È felice quando si fa i tagliolini al burro la sera ed è felice che da almeno trent'anni a pranzo mangia solo lo yogurt con le noci, il miele e l'uva sultanina.

«Belle gambe» mi dice quando mi guarda.

«Pettinati» mi ripete.

«Hai un anello nuovo?» mi chiede e mi prende le mani. Le gira, le studia.

Anche io guardo sempre le sue dita che sono diventate storte e anche io guardo i suoi anelli. Le chiedo di raccontarmi chi glieli ha regalati e quando. Parliamo delle mie piante vecchie e delle sue piante nuove, sul balconcino piccolo della sua nuova casa.

«Ormai ho solo qualche vasetto» dice.

Ha sempre avuto i fiori di stagione fioriti in ogni sua casa. Piante immense. Aceri che occupavano metri. Quando ho avuto Nico è venuta a sistemare le mie piantine in cucina e ha sostituito quelle morte con quelle appena nate. È stato il suo regalo per la nascita. Ora per lei è arrivato il tempo dei vasetti coi fiori annuali. Non ha più tempo di guardare crescere un albero.

«Tua mamma è stata sfortunata in amore» mi dice sempre. «Il suo però era un grande amore. Come il mio. Tu invece anche se avete deciso di separarvi si vede che sei felice.» Quando me lo dice mi sento subito molto triste. Vorrei risponderle che anche il mio era un grande amore.

Ogni tanto quando siamo io, Nico, mia nonna e mia madre, mi sembra di guardare a differenti gradi di attaccamento alla vita. Che passano anche per il grado di sensibilità del nostro corpo. Per come sentiamo i sapori. Le papille gustative che si sono consumate. Per Nico è tutto pieno di colori, suoni e promesse. Tutto ha sapore e il suo cuore batte veloce, come quello dei cagnolini. Dopo di lui ci sono io, ci siamo noi e così via. I trent'anni, i sessanta, gli ottanta. Vediamo il rosso sempre di meno. Diventa rosa impastato. Cataratta vera, dita storte che afferrano peggio, tremano e mentre giochiamo a carte o a domino ognuno sta giocando una partita molto diversa. Ognuno trema a modo suo. Nico perché non è ancora preciso nei movimenti, io perché ho l'ansia, mia nonna perché è anziana.

«Attacca il gattino al gattino» diciamo a Nico.

«Che bei disegni ha questo gioco» dice mia nonna.

«Non li rovinate» supplica mia madre. «Durano da quando siete piccoli.»

«Nico, concentrati» gli chiedo io. «Quello è un panda, non un gattino.»

E visto che Nico ce lo chiede, in tre gli raccontiamo che cos'è un panda e cosa mangia.

«E il bambù cos'è?» ci chiede lui. In tre allora gli raccontiamo cos'è il bambù. Io intanto, di nascosto, mi tolgo le lenti a contatto e provo ad abituarmi a vedere sfocato.

Un profumo in potenza, lontanissimo e da cercare

Mia madre è in India al seguito della Roland Ultra. Ogni tanto manda qualche foto di una mucca oppure invia autoritratti in cui indossa cappellini da muratore costruiti con i fogli di giornale e aggiunge che fa molto caldo. I container arrivano in ritardo e il viaggio subisce rallentamenti. Nelle foto ha l'aria felice, i denti in vista per il sorriso, gli occhi stretti per il sole. Dietro di lei si aprono strade gialle, sabbiose, incasinate. Da noi invece le giornate cominciano a essere più miti e si può tornare a pranzare sul terrazzo. Se mangio da sola sento le risate dei bambini che arrivano dal cortile della scuola sotto casa. Hanno ricreazione alla stessa ora in cui io ho fame. Provo sempre a riconoscere la voce di Nico tra quella degli altri bambini ma non ci riesco mai.

«Ha telefonato la mamma?» ci chiediamo fra noi sorelle e fratello.

«Mi ha mandato una foto con un cappellino di carta in testa.»

«A me anche quelle di una mucca.»

Siamo una famiglia che spesso perde il contatto e possiamo stare lontani l'uno dall'altro per mesi. Mio padre in special modo capita appunto di non sentirlo proprio. A raccontarla non suona granché e forse neanche a viverla suona granché, ma noi siamo abituati così. Ci ha abituati lui.

«Tuo padre mi ha chiamato per il suo terrazzo» mi dice Maria.

«Te ne occuperai?» le chiedo.

La cosa mi rende sia felice che gelosa. Maria sarà più impegnata. Il terrazzo di mio padre è il terrazzo di mio padre. A casa di mio padre sono stata solo due volte nella mia vita. Il sistema di irrigazione che disseta tutte le nostre piante forse esiste e Maria lo sta mettendo in moto, ma io ho comunque un rubinetto molto lontano e seguire le diramazioni dei tubi mi sembra impossibile.

«Sì, me ne occuperò» risponde Maria.

«Come stanno le sue piante?» Può essere che il mio tono somigli a quello con cui si chiede delle nuove fidanzate. E com'è lei? Alta? Magra? Bella?

«Ha quasi solo piante da frutto. Una cosa decisamente da maschio» ride lei.

«Quante ne ha?»

«Moltissime per un terrazzo di dieci metri. Ci sono un melograno, un fico, un melo, un caco, un albiccocco, fragoline e fragoloni, l'uva bianca e l'uva nera, un mandorlo, un pesco, la feijoa, un melo cotogno, i lamponi. Il giardiniere che curava le piante aveva anche tutorato gli alberi per il vento e ora si stanno strozzando.»

«Quali sono gli alberi più malati?» chiedo. Non so neanche perché mi interessi quali sono gli alberi più malati ma è così, mi interessa.

«L'albicocco ha la monilia e il melograno è il più strozzato.»

«Ma non stava traslocando?» chiedo.

«Per ora ha le stanze piene di scatoloni di libri ma non trasloca.»

Maria sa già più cose su mio padre di quante ne sappia io. È decisamente da maschio avere tutte piante da frutto? E strozzare gli alberi con un tutore? Io, per esempio, inizio a ricevere in regalo alberi da frutto e me li regala il mio fidanzato. Un limone, un fico. Sono ancora piccoli. Li mettiamo sul terrazzo e li colleghiamo al sistema di irrigazione. Mi faccio insegnare da Maria come si aggiungono i tubi, come si combinano i raccordi e i gocciolatori e come far funzionare l'impianto. Guardo senza capire varie volte. Non sono portata, ma imparo. Bisogna ricordarsi cose semplici a cui però non si pensa, come che l'acqua scende e non sale. Quindi bisogna evitare il più possibile di fare salire e poi scendere i tubi. Bisogna sapere anche che l'impianto si controlla partendo dalla fine perché se la fine funziona, se l'acqua esce anche dall'ultimo pezzettino, tutte le parti prima sono libere e attive. L'impianto, una volta fissato, va controllato spesso e comunque, soprattutto all'inizio, lo si deve osservare per qualche giorno di fila: il vento cambia sempre e sempre cambia il tempo. Per questo bisogna continuare a guardare. Un'altra regola è che è meglio bagnare meno e più volte. A pochissime piante piace stare coi piedi nell'acqua. Gli piace l'acqua ma non gli piace stare a mollo.

«Prima di partire per l'estate devi cambiare la pila» mi dice Maria. Trova sul mio terrazzo piccole fragole nascoste dietro la selva del rosmarino.

«Ti piacerebbe avere anche la verdura?» mi chiede. «Le melanzane fanno bei fiori.»

A Nico piace che crescano cose che può guardare e annusare. Gli piacerà ancora di più vedere crescere qualcosa che può mangiare. Visto che non mangia nulla forse gli farà venire anche voglia di provare i sapori. Così Maria pianta i pomodori e le melanzane. È tutto minuscolo. Non esiste ancora nulla. Le piante hanno un profumo in potenza, lontanissimo e da cercare.

«Ogni tanto organizzo laboratori di giardinaggio nelle scuole» mi racconta Maria mentre mangiamo.

Ho preparato gli spaghetti al pomodoro profumati con il

basilico del terrazzo. Lei ha allestito la tavola con un nuovo vasetto di rami e foglie. Siamo sedute una di fronte all'altra e le finestre sono spalancate.

Le sono cresciuti ancora i capelli ed è dimagrita. Ha una maglietta leggera. Il seno grande. Mangiare le piace. Le verso un bicchiere d'acqua. Siamo due donne molto diverse. Lei non è vanitosa. Lei parla con tutti. Lei è più gentile di me.

«Però ci sono dei bambini che non sopporto. Non riesco neanche tanto a simulare. L'altro giorno dovevo seguire una classe di scuola e non ho permesso a un bambino di fare il capogruppo solo perché mi stava antipatico» mi dice.

Ci serviamo un secondo giro di spaghetti. Beviamo l'acqua. Insieme abbiamo tanta fame e tanta sete. Vorrei una birra ghiacciata. Vorrei il vino rosso. Vorrei la cioccolata. Sto bene. Stiamo bene.

«Mi piacerebbe ospitare un laboratorio di giardinaggio per bambini anche sul nostro terrazzo» mi invento lì per lì. «Tutto di verdure.»

Certo, vorrei anche ridipingere il portone della scuola e migliorare il loro cortile e iscrivere Nico a un corso di cinese. Aprire un cinema in lingua originale. Fare volontariato. Chiamare la nettezza urbana per quel marciapiede pieno di cacca che deve essere saltato dalla mappatura dei doveri del sindaco di Milano. Vorrei essere brava in molte cose di questo tipo che aiutano e cambiano una scuola, un quartiere, la città e la mia famiglia. L'universo? La storia?

Questa del laboratorio di verdure sul terrazzo però ha l'aria di essere qualcosa per cui Nico sarebbe davvero contento, vuole sempre bambini a casa, vuole un fratello, non vuole essere solo. Io del resto dovrei occuparmi anche di tutti gli altri tre miliardi di bambini della terra, suoi fratelli e miei figli, quindi intanto posso cominciare ad averne sei o sette sul terrazzo un'ora a settimana.

A volte al mattino Nico mi sveglia e ha le lacrime.
«Voglio un fratello» mi dice. Non ci avevo pensato quando io e mio marito ci siamo lasciati, non avevo pensato che a Nico avrei impedito di avere un fratello e una sorella. «Non voglio essere solo» mi spiega lui.
«Dove lo mettiamo?» rido io mentre so che ha ragione.
Ha ragione a sentirsi solo. È solo. C'è questa irrigazione che ci unisce, ok, pure bello questo sistema, però il suo vaso è il suo vaso. Il suo terrazzo è il suo terrazzo. Ha dei confini, una quantità specifica di terra, una possibilità limitata di crescita. Siamo parte di un giardino infinito, di cui ognuno di noi però cura solo degli appezzamenti?
«Gli faccio spazio nel mio letto» propone illuminandosi.
Prova a convincermi come quando prova a convincermi per avere altro Lego ma questa volta mettendo molta più intensità in ogni parola e negli occhi.
«Ti prego» mi dice. «Ti prego, mamma.»
«Non so come fare, Nico» gli spiego. «Io e il papà non stiamo più insieme.»
«Fallo tu» mi chiede e piange ancora. «Per favore.»
Sono cresciuta in una famiglia con tante sorelle e fratelli, con mio padre e mia madre nella stessa casa. Quando vedo Nico che cerca l'amore del mio fidanzato o mi dice che vorrebbe papà con noi, lo capisco. Come si fa a non avere un fratello se si poteva averne uno? Come si fa a non avere un bambino se c'è di mezzo la solitudine di Nico da qui a per sempre? Mia madre mi racconta della sua solitudine di figlia unica da bambina e della solitudine di figlia unica da grande quando ha dovuto occuparsi da sola di mio nonno, della fabbrica e di quello che era rimasto.
«La sera quando ero piccola e loro uscivano li aspettavo vicino all'ascensore, immobile, anche due ore, tre. Mi addormentavo lì.»
«Piangi?»
«No, scema.» Piange.

Io e mio marito ogni tanto ci diciamo che avremmo dovuto fare almeno due bambini. Soprattutto vedendo come sono andate le cose. Immagino che la maggior parte delle persone penserebbe il contrario, soprattutto vedendo come sono andate le cose. Ma per noi non fa una piega: due bambini rimarrebbero uniti anche mentre i genitori si lasciano e durante tutta la vita non sarebbero soli. In casa avremmo due bambini e non uno. La colpa sarebbe meno assoluta. Sarebbe tutto più facile e senza continue implicazioni malinconiche. Tranne l'organizzazione, forse. I soldi. E vestirli e svestirli in piscina. Ma per quanto riguarda le emozioni e i sentimenti, sarebbe di certo meglio.

Fare altri bambini con i nuovi fidanzati sembra più difficile. E poi ora non ci capiamo nulla, dell'assetto, dell'organizzazione, degli aerei, delle case, dei vasi, e spiegare questo a Nico è complicato. È complicato spiegarlo anche a noi stessi e comunque non sarebbe mai un fratello come se lo immagina lui. Un fratello e una sorella che hanno lo stesso papà e la stessa mamma, gli stessi nonni, si muovono nelle stesse case e hanno i giochi divisi tra le stesse stanze, non li avrà mai.

«Vuoi farlo ora?» ci siamo allora detti io e mio marito da lasciati.

«Perché no?» ci siamo risposti a turno.

Dopo qualche tempo però la cosa smette di far ridere. La frase inizia ad avere il suono delle unghie sulla lavagna. A me si chiude lo stomaco. Mi viene la nausea. Lui smette di abbracciarmi. Non usa più il mio nome abbreviato. Lo usa per intero e con un'altra voce: ho una nuova identità. Io all'inizio lo chiamo ancora amore. Lui non mi chiama più amore. Smetto anche io. Amore. Casa. Noi. Arrivo. Parole perse.

«Non sono sicura di volere per forza dei bambini» dice Maria mentre finiamo gli spaghetti. Siamo diventate più intime.

Ci raccontiamo i progetti sulle piante e come stanno cambiando le nostre vite. Cosa ci sta interessando in questo momento e dove abbiamo mangiato o viaggiato di recente. Io guardo il suo corpo cambiare, riappropriarsi della forza e della salute, la sua mente cedere spazio alla serenità dove prima abitava la paura. Ci raccontiamo i film da vedere al cinema e i baretti nuovi che aprono. Allarghiamo l'orizzonte, il giardino. Lei vuole partire per l'America, ha fatto richiesta di una borsa di studio per lavorare in alcuni ospedali nel campo dell'ortoterapia. Guardiamo le foto dei capi dell'ospedale, i capelli assurdi della direttrice, studiamo il clima di Portland e troviamo su internet una serie che fa ridere e si chiama Portlandia e tutti sono così gentili che nessuno attraversa mai la strada pur di far passare prima gli altri. Ci stiamo simpatiche e stiamo bene però ci vediamo solo quando viene a occuparsi delle piante. Non ci verrebbe in mente di uscire per una birra. Abbiamo bisogno della nostra foresta.

«Mi stupisco di quanto la gente si aspetti che sia scontato volere figli» continua lei. «Una mia amica ha avuto un bambino e la prima cosa che mi ha detto, in maniera seria e tutta piena di adrenalina, è stata ora vedrai Maria, trovi un fidanzato e fai un figlio anche tu. Non potevo crederci. Ma che frasi sono?»

Mi guarda e cerca la mia opinione. Non ne ho una. A parte che capisco che genere di adrenalina abbia preso la sua amica e con che tono possa aver provato a fare invidia a Maria. La forza con cui Maria rivendica di non voler necessariamente fare dei bambini ha a che vedere con il dubbio o con la certezza? Io voglio un bambino con un'altra persona? Se amo devo fare figli, desiderare un'altra casa?

Mi hanno sempre raccontato che mia nonna non è stata felice di nessuna delle gravidanze di mia madre. A ogni annuncio si è arrabbiata. Quando dico a mia madre che Nico vuole tanto un fratello o mi chiede «Scrivi?», o mi propone «Compriamogli un cagnolino». Fare un fratello per Nico non le piace come idea.

«Lo teniamo a vivere a Milano o a Londra?» diciamo ridendo io e il mio fidanzato.

Non è che ci crediamo davvero, però ora ci amiamo molto e così ogni tanto scegliamo anche dei nomi, come spesso fanno le persone che si amano molto. Lui mi dice voglio un bambino tuo. Voglio un pezzo di te. Mi fai un bambino? Posso? Mi fai una bambina? Come vorrei una bambina nostra. Scegliamo il nome Maria. Oppure Lola. Il mio nuovo fidanzato ha due figli, vive in un'altra città, io ho un figlio, vivo in questa città. Tutto molto storto nella realtà dei fatti. E poi un bambino nostro cambierebbe il nostro amore come è successo a tutti e due la prima volta? Smetterei di amare anche lui?

«Stai attento» gli dico allora. Anche se a volte non vorrei che stesse attento. Del resto se io non dicessi "stai attento" lui non mi direbbe "posso?".

Nico la sera vuole sempre leggere i libri su come si fanno i bambini. A volte nei libri i bambini vengono fatti al culmine della felicità. Scrivono così, al culmine della felicità. Vuol dire che anche nei libri di educazione sessuale spiegano che dopo si sarà meno felici? Che quello è il massimo della gioia e poi si scende? Io e Nico studiamo le cellule che si dividono e diventano due, quattro, mani, piedi. La mamma che va in ospedale a partorire e il papà che sta di fianco a loro.

«Il semino si spezza e si rompe?» mi chiede Nico quando guarda le figure.

«Non è che si spezza. Si divide per fare il bambino» dico io.

«Si possono fare mille bambini in una sola volta nell'uovo?»

«No. Ma uno per volta se ne possono fare tanti.»

«Tanti quanti?»

«Anche venti.»
«Io ne farò venti.»
Quando racconto a Maria del culmine della felicità nei libri di Nico lei mi ricorda del pronto verde.
«Cos'era il pronto verde, non mi ricordo» chiedo io.
«Il culmine della felicità delle piante!» sorride lei. «Volerle all'apice della loro vita e quindi scegliere di assistere alla fase successiva. Senza forza come progetto, no?»
Nico torna a casa da scuola e Maria gli fa vedere le novità del terrazzo. Anche questa diventa un'abitudine e loro due hanno un rapporto con le piante indipendente da me. Lui le indica i punti segreti in cui stanno germogliando i girasole. Lei li aveva già visti ma finge di scoprirli lì per lì. Ogni girasole ha un tempo di crescita totalmente diverso. In certi vasi hanno foglioline minuscole mentre in altri hanno foglie già solide e grandi. Come quando Nico all'asilo cercava un posto in cui mettersi per non essere irrequieto.

Alla fine delle sue giornate di lavoro Maria cammina per il terrazzo e lungo i balconi, ha lo sguardo perso nelle piante, me ne parla, mi racconta cosa sta succedendo. Ogni tanto afferra qualche rametto, studia una foglia, mi dice quali sono i suoi sogni per il nostro futuro e mi spiega quello che sta per accadere. Maria scende con i soliti secchi, la cesoia, gli attrezzi e carica il suo fiorino rosso. Io e Nico la guardiamo sempre montare sul furgone e girare la piazza per puntare verso casa. Dopo essersi separata dal suo fidanzato è tornata a vivere fuori città. La sua casa era un rudere e ora ha moltissime piante.
«Non tante come te le sei immaginate» mi dice. «Molte, molte di più.»
Io allora comincio a immaginarla come una foresta di quelle dei libri delle favole, con le farfalle, gli uccellini, i conigli e tutto il selvatico che riesco a ficcarci dentro. Immagino che come in Biancaneve gli animali le parlino e la aiutino con i

doveri di casa, del rudere che diventa un castello. Lei è un cartone animato. Tutto è animato e illuminato, Maria ha i merli posati sulle spalle come li vorremmo io e Nico e forse la aiutano anche a mettere in ordine la casa, a rifare i letti.

«In autunno un topo si è mangiato le zampe anteriori della mia tartaruga» mi dice un giorno, e allora smetto di pensare a Biancaneve. «Ora le faccio le punture. Avrà per sempre i moncherini. Devo trovare un gatto che uccida i topi. Comprarlo non lo comprerei mai, quindi la questione è complicata.»

la tartaruga moncherina

Quando Maria si infila la giacca, saluta qualche altra volta me e le piante. Non credo voglia andare via sul serio: se abitasse qui qualche giorno di fila potrebbe fare così tante cose e lo sa anche lei. Tutto quel tempo che ci vuole a costruire, come dice Mr Bharat, non lo abbiamo quasi mai. Salutare le piante e rivederle dopo che è passato del tempo non è facile. Salutare Nico e rivederlo al ritorno da ogni viaggio neanche.

«Le piante ordinate e simmetriche mi fanno paura» dice Maria se guardiamo i balconi dall'altro lato di casa mia, dove una signora ha l'edera che fa una cornice precisissima e ha fiori e bossi a palloncini ripetuti a intervalli regolari.

«Chissà come è fiera» dico io.

«Lei dal canto suo avrà paura di noi.»

Ci lanciamo a volte in qualche pensiero su essere ordinati ed essere disordinati, sui punti di vista da balcone a balcone e cosa da vicino e da lontano fa paura e su tutto quello che si può capire dai terrazzi e dai balconi, dai giardini e dai vasi di fiori che hanno le persone e come li coltivano. Stiamo sempre meglio.

«Avrai una figlia femmina» sussurra la cartomante a Londra.

«Non voglio» dico subito io. Spalanco gli occhi. Mi alzo in piedi.

«Sarà molto semplice, invece. Comunque non hai scelta.»

«Non saprei dove metterla. Forse all'aeroporto di Heathrow.»

«Vi piacerà vivere lì, ottima idea» ride lei. «C'è solo il problema di tutti quei profumi in vendita. A te danno fastidio gli odori forti? Io quando ci passo attraverso mi viene subito mal di testa.»

Mentre lo dice accende dieci, venti, trenta incensi e io comincio a tossire. I profumi del duty-free dell'aeroporto di Londra si mischiano all'incenso e mi riempiono le narici.

«Ho mal di testa» le dico.

«Sei solo paurosa» sostiene lei. «E decisamente facile da suggestionare.» Provo a non avere mal di testa. A non tossire. A non essere facile da suggestionare. «Siediti» mi dice.

Mi siedo e mi appare di nuovo il dirigibile d'argento, ma con un colpo di tosse più forte degli altri lo faccio sparire. Vedo il mio fidanzato. Sparisce anche lui.

«Vorrei andassimo a ballare insieme» continua la cartomante. «Vorrei anche che tu imparassi a parcheggiare.»

«Ok» rispondo io. Mentre soffoco lei mi abbraccia di nuovo.

«Sono io la tua bambina» mi dice. «Stai aspettando me.»

«Davvero?» sibilo io. Mi manca il respiro.

«Vedi che ti fa paura tutto?» dice lei. «Vedi che sei facile da suggestionare?» E scoppia a ridere.

Da tutte le parti, forte, ovunque

Nico di notte mi dice: «Sono felice perché ti amo e ti amo perché ti amo». Ora i girasole crescono a vista d'occhio. Il segreto inventato da Nico e dal mio fidanzato, il segreto inventato apposta per farsi scoprire, sta esplodendo. Ogni mattina io e Nico ci alziamo e andiamo a controllarli. Uno, specialmente, ha preso una rincorsa verso il cielo e ha il gambo così robusto che comincia a sembrare un tronco.

«Se diventa abbastanza grande possiamo metterci sopra una sedia» propone Nico.

I bruchi abitano foglie e rami e le farfalle sono spesso sul nostro terrazzo. Gli uccellini passano a trovarci. Maria mi scrive una mail. Anzi, la scrive a Nico.

> Ciao Nico,
> la farfalla che visita il vostro terrazzo e abbiamo visto l'altro giorno è una "vanessa io" (Inachis io). Se volete su questo sito potete registrare la vostra oasi. Le oasi delle farfalle sono dei corridoi di piante, nelle città, che le aiutano a sopravvivere, passando da un terrazzo a un giardino e da un balcone all'altro. Poi vi aiuto per segnalare le piante che credo abbiano amato. (www.effettofarfalla.net)
> Baci, Maria

Il corridoio di piante per far sopravvivere e attraversare la città alle farfalle è quello che mi servirebbe per passare da una casa all'altra, da una famiglia all'altra, da una mia famiglia a un'altra mia famiglia. Un canale che funziona e dove non ci si fa male. Io e Nico immaginiamo di aggiungere alberi per l'ombra ma il pavimento è così fragile che probabilmente gli cadrebbe sulla testa. Nico infatti ha la stanza proprio sotto il terrazzo e la questione gli piace, dice che sopra di lui c'è subito il cielo e non un'altra casa. Dice che gli crescono le piante sulla testa.

Appena le pietre si scaldano arrivano le lucertole. Tra una piastrella e l'altra crescono piantine che andrebbero tenute a bada ma che ci divertiamo a scoprire. Muschio, menta, pitosfori. Il muro della casa comincia a coprirsi di rampicanti e sembra meno vecchio. L'echinacea, la nepeta e le graminacee si stanno gonfiando, sono trofie e stanno per esplodere. A dire trofie l'ho imparato da Maria. Molte volte viene il merlo. Al mattino lo salutiamo. Apriamo piano la porta del terrazzo, facciamo qualche passo verso di lui fino a che non vola via. Dopo alcuni giorni impariamo a non farlo volare via.

«Sembra di essere in vacanza» dicono tutti quelli che vengono a trovarci.

Nico mi chiede se può stare nudo. Può. Quindi si mette nudo. Se siamo soli mi metto nuda anche io. Aggiungiamo due piccole sdraio bianche vicino all'evonimo e all'oleandro e un tavolo di legno per otto persone. Una lanterna per la sera. Sei sedie verdi di ferro battuto. A dire evonimo l'ho imparato da Maria.

Su una piastrella del terrazzo, quando faceva ancora freddo, una sera mio marito aveva scritto AIUTO con il gesso bianco. La scritta non va più via. Resta attraverso le stagioni, non c'è pioggia o neve che riesca a cancellarla. AIUTO. Ogni volta a leggerlo mette paura e assume significati diversi. Forse la scritta sparirà quando avrò trovato la soluzione e lui non avrà più bisogno di aiuto. Quando Nico mi chiede perché papà ha scritto AIUTO gli racconto ogni volta una cosa diversa. Gli è caduta una sedia su un piede. Pioveva. Erano in arrivo i marziani e volevano dargli un bacio con la lingua verde sulla bocca.

I fiori aumentano e aumentano le ore di sole e quelle di pace nel nostro cuore. Il limone ha attaccato un limone. Il fico ha due fichi. Nico è ora come la menta: da tutte le parti, forte, ovunque. È in tutti i vasi, più profumato e più veloce di tutti.

«Quando vado al mercato o alle fiere di fiori non so cosa comperare» dico al telefono a Maria.

«Pensa alla dimensione finale delle piante e per il resto compra quello che ti piace» mi risponde lei come fosse ovvio. «Per esempio la sequoia non va bene» ride.

«Non capisco se è la stagione giusta o se stanno bene. Per esempio ho visto un ulivo sottile a venti euro e ho pensato di prenderlo ma che poi non avresti approvato.»

«In effetti gli ulivi qui non hanno molto senso. Non diventeranno mai come li vorresti. È una questione di delusione. Tu pensi, che ne so, all'uliveto pugliese con le cicale che cantano. Mentre qui non può che rimanere un ulivo stentato e di certo senza cicale.»

«E cosa ha senso?»

«In generale non aspettarsi sempre le cicale.»

Sul caldo comincia di nuovo a piovere e arrivano molti temporali. Spunta un iris che abbiamo piantato, mando la fotografia a Maria. Lei dopo qualche ora mi scrive.

> Wow, che iris ricercato! E vedo anche un background di erba cipollina. Ma quanto piove? Cerco di passare in settimana, ci sarà un momento senza diluvio universale. Baci. M.

Non credo ci sarà un momento senza diluvio universale. Anche se Maria ora è forte. Anche se Maria non ha una vena che sta per esplodere e il dolore per la fine del suo amore sta passando, il diluvio quello c'è comunque.

Lavoro molto, lavoro veloce e incastro quello che riesco. Nico, i suoi capelli da asciugare in piscina, le favole la sera, le riunioni, i viaggi, scrivere per gli altri, il mio amore nuovo da coltivare. Respirare. Cercare di dormire la notte invece che con la mente continuare a spostare gli scatoloni di tutti compresi i container della Roland Ultra in India. Allora provo a eliminare dai pensieri le scatole, gli oggetti, i nomi. Le nostre facce. Anche in India elimino i container e mi concentro solo sul movimento. Sulla distanza come distanza giusta. Sui luoghi dove le piante crescono e i merli arrivano. O dove le macchine da stampa, cambiando nome e famiglia, stato e fuso orario, girano di nuovo. Cerco un posto senza nomi e senza vie. Nessuna scatola ha una scritta, un proprietario, le pedine occupano soltanto i loro ruoli. Padre. Figlio. Madre. Figlia. Poi apro la storia, la stendo. Ha radici più antiche di me, viene e va altrove. Avrà esiti sconosciuti, frutti che non mangerò mai. Così arriva un pensiero selvatico che è una trama e insieme alle radici e alla lotta per la luce arriva davvero anche l'estate. I colori si sfogano, i profumi anche. Le finestre restano spalancate nonostante il diluvio. Le parole arrivano. Le api pure. Ci spogliamo.

«Sei bella» mi dice Nico.

«Sei bello» gli dico io. Nascosti nella nostra foresta nessuno può obbligarci a pensare che dirsi sei bello è brutto.

Mia madre conclude il grande tragitto con la Roland Ultra, torna dall'India e con me non è più così severa. Ci regala tessuti per la casa, ma si vede benissimo che in realtà li vuole tenere per sé. Li proviamo su un paio di finestre, vicino a una porta.

«Non stanno bene» dice.

«Posso provare a usarli come copriletto» propongo allora io.

«Meglio di no» e subito li impacchetta. Nei messaggi mi scrive di nuovo ti voglio bene.

Il motorino e gli aerei che incontrano venti sostenuti mi aiutano a essere più veloce. Nella velocità che diventa turbolenza e scossone, cerco un canale per le farfalle, dove se si riesce a infilarsi non si muore. Da quanto volo inizio a riconoscere le hostess. Le tempeste estive sono sempre più forti e sempre più numerose.

«Come sarà il tempo durante il volo?» chiedo ogni volta.

«Andrà tutto bene.»

Rispondono così anche quando grandina e si piegano gli alberi. Anche quando i finestrini sono picchiati dalla pioggia. Vorrei dire loro che sarebbe meglio non rispondere andrà tutto bene visto che non lo sappiamo, vorrei dire che all'improvviso può esplodere una vena, arrivare un fulmine durante il volo, e invece ogni volta annuisco, sorrido e mi fido. Se loro rispondono che andrà tutto bene accetto come una superstizione che al mille per mille andrà tutto bene, e infatti anche quando ho paura e anche quando ci sono le turbolenze hanno ragione loro e va davvero tutto bene. La vita, insomma, funziona anche coi vuoti d'aria e il cambiamento climatico e quindi con gli scossoni dell'universo. Atterro. Mostro il passaporto. Con quel libretto ricordo a loro e a me chi sono anche oggi. Salgo sui trenini che mi riportano nelle diverse città mentre restiamo in equilibrio tutti quanti, io e Nico, io e mio marito, mio marito e Nico, io e il mio fidanzato, il mio fidanzato e i suoi figli e tutte le altre decine e centinaia e migliaia di persone che respirano. L'Europa. Il mondo. L'universo intero. Il filo è teso e l'assetto è precario, abbiamo tantissimi piedi, tantissime zampe ma in qualche modo non ci siamo persi. La Roland Ultra ha potuto ricominciare a vivere. I miei amici cominciano a conoscere il mio fidanzato. Nico e il mio fidanzato si avvicinano. I girasole crescono ancora. Maria ha i capelli lunghi e anche quelli sono una liana per raggiungere un'altra montagna. Il merlo si abitua a noi e a farci avvicinare. Io mi avvicino a tutti, tengo il ritmo. Abbraccio. Bacio. Dico bentornato. Dico sono tornata. Dico devo ripartire. Quando salgo su una nuova cima, accolgo il nuovo paesaggio. Chiamo tutto e tutti per nome.

«Vorrei far conoscere la mia fidanzata a Nico» mi dice un giorno in macchina mio marito. Stiamo andando a riprendere Nico a una festa.

«Sicuro?» gli chiedo. Guardo fuori dal finestrino e mi ricordo di quando nella stessa macchina guardavo fuori dal finestrino prima di andare a partorire. L'avevamo chiamata spacecar, forse perché potesse portarci sulla luna.

«Anche tu hai fatto conoscere il tuo fidanzato a Nico» sottolinea lui.

«Non mi preoccupo delle apparizioni» mi invento lì per lì. «Ogni nuova persona che amiamo non ci può far male. Almeno, non apposta. Ho paura delle sparizioni.» Come teoria, anche se appena inventata, non è male. Decido di tenerla da qui alla morte.

«Cosa mi stai chiedendo, non ho capito» dice lui.

«Se è qui per restare.»

Ride. Rido anche io. Come dovremmo saperlo se è qui per restare? Come dovremmo sapere quale girasole cresce di più? Non mi ricordo ancora bene i nomi delle piante, non mi ricordo quali bugie ho detto fino a oggi e per quali potrei ancora essere scoperta. Nei sogni ho dunque ucciso e a volte sono sicura che verrò messa in prigione. Fosse per me, la Roland Ultra non avrebbe mai più stampato, me ne fotto io degli indiani buoni. Non voglio nemmeno fare una bambina per Nico e per il mio fidanzato. Cosa posso pretendere di consigliare?

«Andrà tutto bene» dice mio marito con la voce della hostess.

Nessuno di noi è qui per restare, non lo ricordi quando dici cose così? Sono anche felice che la fidanzata sia arrivata perché mio marito è più felice. Più di tutto mi avrebbe spaventato la sua infelicità che si sarebbe trasformata in rabbia. Oppure, ancora peggio, la sua infelicità che io avrei trasformato in una mia colpa.

«Ok» abbozzo e fra noi torna il silenzio.

La sera gli scrivo mi fido di te. Mi risponde che anche lui si fida di me e non ne parliamo mai più. A Nico non chiedo mai niente, prendo solo quello che lui dice in mezzo alle altre cose, ho mangiato il pollo, c'era Giulio, c'era Serena. Serena mi ha regalato arco e frecce. Serena mi ha insegnato a fare il tè. Serena ha la pancia magra. Serena ha un cane bassotto.

Mi faccio fare il tè da Nico come ha imparato da Serena. Gli scatto una foto e la mando a mio marito.

«Sei gelosa?» mi chiedono tutti. Nessuno escluso. Anche i baristi che al nostro bar preferito vedono sia me che loro.

«Per niente» rispondo. E con la lingua pulisco bene la tazzina da caffè.

«Papà ha fatto una cena con Serena» mi dice sempre più spesso Nico.

«Hai mangiato, bel visin?» chiedo.

«Ho mangiato» mi dice lui.

Non sono gelosa. Neanche quando immagino la cena e Serena e i nostri amici.

«Sono andato a portare il cane ai giardini con Serena» mi dice Nico.

«È un cane gentile?» chiedo.

Non sono gelosa neanche del cane che ha Serena e che vorremmo anche io e Nico. A volte qualcuno mi dice frasi come comunque non è una storia seria. Oppure mi dicono è molto carina, sì, ma tu sei più carina. Mi dicono pare sia una ballerina. Almeno, ci prova. Credo vogliano farmi piacere, dirmi tu sei meglio oppure criticare mio marito. A me non cambia nulla. Penso a volte con una qualità di pensieri senza esiti o implicazioni che sì è molto carina. La infilo in una coreografia di danza che invento per lei, e quando la nomino mi sento come Antoine Doinel quando dice Antoine Doinel davanti allo specchio. Il suo nome è un rumore di fondo, un pensiero che è una frase ripetuta e ha un suono ma non un significato. Ogni tanto mi preoccupo addirittura per lei che si è imbarcata in qualcosa di complicato. Spero che mio marito la tratterà bene e arrivo persino a immaginare che potrei aiutarla a far sì che con lui vada tutto per il verso giusto. Vorrei dirle non sentirti A se lui fa B. Attenta quando succede C perché poi D. Poi penso XYZ e in ideogrammi. Succedono anche certe cose strane, una sera per esempio mio marito si arrabbia perché le ho messo un like su instagram. Gli dico senti ma di cosa stai parlando? Morirà lei, morirò io, morirà Nico. Non siamo quasi già più qui. Fiori. Piante. Essere movimento. Foresta. Instagram?

«Come ti permetti?» mi dice serissimo.

«Di fare cosa?»

«Ti pare che la segui?»

«Ma se ci stringiamo la mano, se lei sta con Nico, se dicevi in terapia che volevi una famiglia unita e fluida, non sogni che siamo amici? Io lo dico e lo sogno davvero. Tu no?» Mi arrabbio perché la sua giusta distanza non corrisponde alla mia e quindi siamo entrambi alla distanza sbagliata. Come facciamo a capirci sul movimento, sull'irrigazione o il canale delle farfalle? Lo capisce il merlo e lui no.

«Non devi seguirla su instagram» mi ripete.

«Non dirmi mai più frasi su instagram» sibilo e gli butto giù il telefono. Insomma i pensieri su di loro sono di questa portata. Poca roba. Soprattutto spero sarà brava con Nico e altre questioni minuscole come che mi auguro gli parlerà in spagnolo visto che è per metà spagnola o che non fumi davanti a lui perché so che fuma e che non gli dia l'ipad anche se non so neppure se ha l'ipad. Cose praticamente nulle, che c'entrano con un'altra persona che starà con tuo figlio. Che magari è qui per rimanere. Che parla con mio marito di instagram.

«Come va con la tua fidanzata?» chiedo ogni tanto a mio marito.

«Bene» risponde lui. Se sono simpatica aggiungo: «E instagram? Tutto ok?».

La cartomante mi stringe la mano.

«Si lasceranno» mi dice.

«Ti prego, no!» dico io.

«Ma tu sparirai prima.» Si mette a piangere.

«Intendi dire che morirò?»

«Sì» dice lei. «E pure io.»

Mentre io e mio marito facciamo colazione con Nico al solito bar, leggo un articolo sul giornale che parla di come la fine dell'amore vada assorbita come una perdita fra le altre. Il lutto. La malattia. La psicanalista che firma il pezzo sostiene che la mediazione è qualcosa da cui fuggire. Bisogna allontanarsi.

«Tornerete insieme» dicono in molti.

Gli passo l'articolo e gli dico leggilo.

«Non voglio» mi risponde.

«Per favore» gli ripeto e lo guardo e gli sorrido.

Con gli occhi mimo anche qualcosa che vuol dire sarebbe importante per me. Forse non faccio bene il mimo. Eppure da piccola ero stata mandata a Parigi a studiare addirittura con Marcel Marceau. Lui guarda solo Nico. Anche quel giorno allora gli chiedo perché non mi guarda negli occhi.

«Non ti guarda negli occhi perché ti ama» dice mia madre.

«Se mi avesse guardata negli occhi magari ci ameremmo ancora. Se mi avesse amata mi avrebbe guardata» dico io.

«È impossibile parlare con te.»

«Infatti scrivo.»

«Scrivi? Davvero?» si illumina lei.
«Sì» dico io.
«Mica racconterai i fatti tuoi, vero?» mi chiede lei. «Perché i fatti tuoi a chi interesserebbero mai? E poi devono restare tuoi e basta.»

Mio marito e la sua fidanzata comprano un albero di avocado e sono felici. Lei parla dell'avocado. Lui parla dell'avocado. Fanno le foto all'avocado. Lo curano. Gli danno un nome. Nico anche parla dell'avocado. L'avocado è al centro di mille avventure. Una volta mio marito passa a casa mia mentre c'è Maria, ammira le piante, scambia due chiacchiere con lei e le chiede se può andare a lavorare anche da lui. Può occuparsi dell'avocado che ha un nome? Può occuparsi dell'avocado dalle mille avventure? Anche loro cominciano a mettere da parte ricordi. Ad avere nomi per le piante di avocado come noi li abbiamo avuti per le macchine, le moto, le case. La nostra spacecar, il loro avocado. Le frasi che abbiamo coniato. I concetti costruiti e condivisi, le nostre teorie. I bigliettini che ci siamo appesi in giro per casa. I nostri ti amo, i loro ti amo.
«Ho solo un avocado» dice mio marito a Maria. Ridono. Anche io rido.
«Perché fai quella faccia? È un avocado bellissimo» ridono ancora di più.
«Hai bisogno di una mano solo per quello?» chiede Maria.
«Ho tre balconi e un miniterrazzino. Vorrei mettere altre piante.»
«Altri avocado?»
«Può essere» dice mio marito. «Vuoi venire?»
Così Maria comincia a occuparsi anche delle piante di mio marito. Del suo avocado. Dell'avocado suo e della sua fidanzata.
Mi dice mio marito che quando Nico è da lui al mattino gli fa spruzzare l'avocado.

«Quando è da me Nico è più adulto» mi spiega. Nico gli prepara anche la colazione e ora sa tostare il pane. Poi certo, sa fare il tè come gli ha insegnato Serena.

«Il mio avocado è fiorito e adesso ha quattro piccoli frutticini» mi dice una sera.

«Pazzesco» dico io e dell'avocado un pochino devo dire che sono gelosa.

«È una cosa rarissima! Praticamente impossibile» dice lui. È felice e di buon umore. Sta sempre meglio.

«Me ne regali uno?» gli chiedo. Ma lui non me lo regala e ha ragione.

Estate, grandine

Per l'arrivo dell'estate Maria sistema il terrazzo e porta nuove piante. Il sole si riavvicina a noi e certi giorni comincia a scottare. Sono spuntati i peperoncini, il basilico è enorme, le rose sono di nuovo ovunque. Il timo, la lavanda e la salvia sono forzutissimi. I fiori si producono ognuno nel loro colore e nella loro forma. Giallo, rosa, bianco, azzurro. Le graminacee si sono moltiplicate e le foglie viola della perilla si sono diffuse in almeno dieci vasi diversi. Perilla? So dire perilla. Bisogna aumentare i minuti di irrigazione. Il limone va sfoltito perché il sole penetri nella chioma. Bisogna cominciare a spostare alcuni vasi. L'azalea deve andare all'ombra. Il glicine piccolo ha le foglie gialle e ha sete, bisogna trovargli un nuovo posto. Noi ci scaldiamo le ossa e le asciughiamo.

Quando Maria viene da me ora ha meno tempo ma mangiamo lo stesso all'aperto. Io taglio le barbabietole, il formaggio e l'erba cipollina. Aggiungo la rucola e nei pomodori spezzo il basilico che ha piantato. Nella brocca dell'acqua infilo la menta.

Maria mi dice che è stata accettata per la borsa di studio in America. Andrà in un ospedale che fa parte di un network di orti e giardini terapeutici.

«I giardini servono sia per i malati che per lo staff» mi dice. «Sono aperti ventiquattr'ore su ventiquattro. Lo sapevi?»

Faccio no con la testa e mi segno giardini, cura, terapia su una mano immaginaria con una penna immaginaria. Con la mia concentrazione immaginaria mi riprometto di leggere moltissime annotazioni, sempre.

«Andrò via per tre mesi» annuncia Maria.

«Magari non torni più.»

«Non credo» ride lei.

La cadenza dei nostri pranzi e la sua cura per le mie piante sono una delle poche certezze di quest'anno, ci stiamo rimettendo in piedi, magari perderci ci farà seccare o marcire. Siamo noi il corridoio per non morire?

«Andare in America mi fa pensare al mio ex fidanzato. Più che altro come che lui va sempre in giro in bici e quella è la città delle bici. Che lì fanno tutto come piace a noi e probabilmente ogni pianta, giardino, fiore che vedrò mi verrebbe da raccontarlo a lui. Non posso far finta che non sarebbe il nostro posto ideale. Però penso che devo salvare l'amore per le piante anche se mi fanno pensare a lui. Continuare a volere tutto questo, piante comprese, rende più difficile il distacco, ma è così» mi dice. « E poi sai cosa? Per molto tempo ho solo cucinato e letto libri. Che mi alzassi ogni mattina era grandioso. Lui mi diceva sei diversa. Ma una volta mi ha detto non sei più Maria e questo mi ha fatto veramente incazzare. Potevo essere diversa ma al mille per mille ero ancora Maria. Eccomi, infatti.»

Maria. Anna. Lauroceraso. Oleandro. Evonimo alato.

Non le chiedo se ha paura di andare lontano: fino a pochi mesi fa aveva il panico anche solo a lasciare casa sua. Non voglio metterle in testa l'idea della paura nel caso non ci avesse pensato da sola. Così ridiamo ancora una volta di quanto sarà tutto civile e ordinato e biologico laggiù. Di come diranno tutti è fantastico, è strepitoso, sto da dio, continuamente. Qualche giorno dopo, mentre io vado a Londra, lei torna sul mio terrazzo e la sera mi manda una mail.

Cara Anna,
le piante stanno tutte bene e abbiamo anche tre redivive resuscitate! Come è bello quando i morti tornano vivi. L'unico che è ahimè morto davvero è un corbezzolo, si è tutto rinsecchito. Come prevedevo non sono riuscita a fare proprio tutto: cominciata la pulizia, tolto il secco e il rotto. Diserbato qua e là, anche se ci sono ancora molte piante abusive da togliere da ogni possibile pertugio. Si sono autoinvitate alla festa e andranno eliminate un po' per volta, non per cattiveria, ma perché tendono a diventare ingestibili. Tra le autoinvitate c'è anche un gelso stortino che per ora ho lasciato entrare a far parte della foresta, poi decideremo che fare. La menta è bella come dici, ma sta davvero esagerando, vorrei ridimensionarla e inserire qualcos'altro all'interno della muraglia. Ho messo un altro pomodorino nel vaso di cemento, dove abbiamo piantato il basilico, che ho spostato. I girasole li ho lasciati dov'erano. Solo ne ho rinvasati tre davanti alla porta. Riguardo all'impianto, ho fatto un controllo e ho cambiato una miriade di ugelli, quelli a cui mancava il tappino, ti ricordi? Sospetto decisamente di Nico, l'hai interrogato? Non ho ancora collegato col timer ma puoi innaffiare in manuale: si schiaccia un pulsante e parte. Una delle due centraline è scollegata, richiede cambio batteria, che non avevo. Si è messa a parlare in tedesco. Immagino dicesse cose filosofiche, non so. Ho piantato il secondo glicine, dobbiamo aspettare che cresca per farlo passare dall'altra parte della finestra. Se non fa i fiori vuol dire che ha avuto sete durante l'anno. Tra le cose che vorrei fare prossimamente: finire impianto, concimata generale, ridurre il pitosforo, trapiantare le annuali. Ultima nota: ho tagliato i rami dell'alloro pieni di coccinìglia e l'ho messo più al sole, così che il nuovo che sta crescendo sia più sano. So che non vuoi buchi per Nico, ci ho messo provvisoriamente davanti anche il carrello coi giochi. Qui ora piove, sai?
Baci, M.

Anche io voglio finire l'impianto e voglio fare una concimata generale! Mi chiama mia madre. Quando le racconto le metafore che m'arrivano una dietro l'altra, sbuffa. La tiro talmente per le lunghe che alla fine ride.

«Hai sentito tuo padre?» mi chiede.
«No, perché?»
«Perché è tuo padre?» dice lei.
Mi viene continuamente da dire cose sul senso della vita e sul passaggio del tempo, sull'irrigazione e la sete. Racconto spesso la questione del girasole che se ne pianti uno in un vaso e uno in un altro, a pochi centimetri di distanza, crescono diversamente. Per non continuare a parlarne, comincio a scrivere con più attenzione. Mi abituo a commuovermi sempre e anche di questo fare una teoria.
Faccio due o tre riunioni con persone nuove in cui a un certo punto piango. La commozione è improvvisa. Un messaggio, una foto, una canzone. Mi terrorizza l'idea di essere a ridosso di una conversione. Spero non comincerò a credere in Dio.
Per non vergognarmi mi espongo ancora di più.
«Non sono triste» dico mentre piango.
Con la bocca sorrido per essere più convincente. Sono persone che spesso non conosco e il pianto ci rende subito intimi. Irrigazione? Quando le lacrime mi arrivano sulle labbra le pulisco con il polso e trovo una frase ironica per fare ridere la tavolata. Forse parleranno di me tra un anno, quando sarò rinchiusa in una casa di cura o in un monastero e diranno be' si vedeva che non stava bene, piangeva sempre. Poi ti ricordi, parlava continuamente di quei girasole, del temporale.
«Vi ricorderete di questa riunione» aggiungo per togliermi anche questo pensiero.
Nelle riunioni mi impegno di più per cancellare il pianto e farlo rimanere come solo uno dei tanti ricordi di oggi. Così, tra le altre cose, accetto di scrivere una sceneggiatura su una cantante, una serie tv sulla felicità durante la crisi economica, un format televisivo sportivo, un format televisivo culturale e doppio pubblicità di borotalchi, macchine e reality show. Mi lascio convincere ad andare a troppe riu-

nioni e in troppe città dove non voglio andare. Mi ritrovo a parlare con persone che vendono birra. O persone che vendono pasta, lavastoviglie, profumi. Prendo troppi aerei e troppi treni. Anche le hostess iniziano a essere stufe di rassicurarmi. A volte, senza che neanche lo chieda, dicono: non morirai neanche oggi, ok?

La sera chiedo a Nico di venire nel mio letto, spacciandolo come un regalo a lui, e gli leggo le favole che mi fanno paura. Se nelle favole, come spesso succede per esempio in quelle dei fratelli Grimm ma anche in quelle di Roal Dahl, la mamma è morta, io non glielo dico e per mantenere la premessa iniziale devo inventare tutte delle storie parallele che poi sera dopo sera mi ci perdo. Come potrei raccontargli l'ipotesi della morte? E la certezza della morte? Della mia poi figuriamoci, non potrei mai. Comunque rimane sul serio la possibilità che io e lui siamo immortali. O anche solo che lo sia lui.

«Perché la mamma non lo aiuta?» mi chiede Nico quando la mamma sparisce dalle favole.

«Lo aiuta ma lui non se ne accorge» provo.

«In che senso lei lo aiuta e lui non se ne accorge?»

«Per farlo diventare più saggio e più grande la mamma sta in disparte così il bambino impara a fare da sé. Quando è più autonomo un bambino diventa anche più intelligente.» Cerco a caso pezzi di frasi di Maria Montessori o di Maria la giardiniera, che mi sono rimaste attaccate a cinque e a trentacinque anni.

«Dimmi la verità. È morta?»

«Scrivi sul serio?» mi chiedo allora io con la voce di mia madre e anche con la mia.

«È morta la mamma, vero?» mi chiede ancora Nico.

«Si potrebbe anche leggere in questi termini» rispondo io. «Ma io e te forse non moriremo mai.» E io e Nico ci addormentiamo così, con le voci di tutte le persone che amiamo che ci dicono buona notte, sogni d'oro, il buio non fa paura. Forse non morirete mai.

«Non è il momento per giudicare questo libro!» mi dice all'improvviso la cartomante.

Ho un colpo al cuore. La stanza è invasa dall'incenso. C'è talmente tanto fumo che non sono neanche certa ci sia ancora una casa.

«Materiale troppo vivo e troppo vicino. Ora occupati di mettere le radici. Andrà tutto bene, ma tra molto tempo.» Si stringe più forte a me e chiude gli occhi.

«Quanto tempo?» chiedo io.

«Ti aspetti una risposta tipo martedì prossimo? O giovedì alle dieci del mattino?»

Mi massaggia la testa con lo stesso movimento di quando si fa lo shampoo. Ci mette molta energia. Mi rilasso e provo a addormentarmi di nuovo, con l'idea che uscita da questa stanza sarò pulita e che se cercassi di nuovo la cartomante o questa via, non riuscirei più a trovarla. Meglio godersela.

«Brava, dormi. Sogni d'oro» mi aiuta lei. E mi canticchia una canzone di Beyoncé.

La serie tv dove mi ero occupata della coppia in crisi è un successo. Così, quando confermano una seconda stagione, mi viene affidato di scrivere del figlio che si deve adattare alla separazione. Quando scrivo le frasi del bambino che soffre per il divorzio e dorme male e mangia sempre, tremo. Il bambino nella serie non vuole dormire da suo padre e lo scrivo proprio nei giorni in cui, per la prima volta, mi trovo a dover contare quanti giorni Nico dorme da me e quanti da suo padre. Mio marito sviluppa un'attenzione tutta nuova per le date.

«Nico sta bene. Stiamo tutti bene da così poco tempo. Sei sicuro che vuoi entrare in tutto questo?» gli chiedo.

Lui insiste e così ci occupiamo di numeri e date. È il nostro secondo atto, chiaramente. Non è molto spettacolare, come picco negativo. Occuparci di date, conti e instagram non è giusto nella trama del film che siamo. Il pubblico scapperebbe annoiato. Ma visto che l'atto calante funziona da sempre e lo insegnano ai corsi di sceneggiatura, aderisco a questo andamento.

«Chi sei?» gli chiedo ogni tanto e da un lato so benissimo chi è e mi fa male. Dall'altro non so assolutamente più chi è e mi fa male. A volte chiedo anche al mio fidanzato: «E tu chi sei?». E anche se a lui sorrido, non è che sorrido proprio completamente, perché davvero è una nuova faccia e un nuovo cuore al mio fianco e a volte è una vertigine la sua barba, la sua bocca, il nostro amore. A volte penso davvero chi sei? E lo penso con violenza. Lo sfioro, lo stringo e mi commuovo anche per noi due che ci amiamo e che siamo così sconosciuti e sempre lo saremo. Sulla terra conosco Nico e conosco mia madre, le mie sorelle e mio fratello. Mia nonna. Nessun altro mi appartiene e a nessun altro appartengo.

«Chi sono?» chiedo allora a Nico.

«Se me lo chiedi ho paura» mi dice lui.

Continuo a scrivere i nuovi episodi della serie televisiva. A seconda del mio umore, i due genitori sono una coppia ragionevole o due totali idioti che litigano davanti al figlio.

«Torna a casa da noi» sussurra lei nella quinta puntata.

«Cosa dici?» le chiede il marito.

«Mi manchi» dice lei. Dopo una piccola pausa lui le spiega che non la ama più. Ama un'altra ragazza adesso. Fa la ballerina.

Intanto la Roland Ultra stampa scatole per la frutta. Dopo il viaggio in India, mia madre e il fotografo Giovanni Hanninen, cominciano a preparare la grande mostra che si terrà alla galleria di mia madre ex fabbrica di mio nonno. Per terra dispongono i provini e li dividono in gruppi e in sottogruppi. Il viaggio ora è tutto fatto di insiemi e sottoinsiemi. Facce.

Ritratti di operai. Ritratti di bambini. Viti. Bulloni. Tragitti. Spostamenti. Tutte le foto hanno un colore di fondo giallo e marrone. Forse è la sabbia o il cartone della macchina, la ruggine dei bulloni, il colore della pelle indiana. Ci sono anche tanti denti e quel modo che hanno gli indiani di sorridere che è il modo in cui sorride mia madre nelle foto di quando è in India. La Roland Ultra nelle foto è decorata con ghirlande di carta colorata e fiori, per celebrarla e inaugurarla. Le donne operaie indossano sari eleganti come per una festa. Gli uomini sono seduti su cartoni sovrapposti e impilano quello che la macchina produce. Se non l'avessi lasciata andare nessuno l'avrebbe celebrata così.

Tutti i bambini di tutte le foto, di tutti i tempi e di tutti i paesi sono Nico.

Io e Nico guardiamo le foto, e guardiamo mia madre e il fotografo suddividere e ridividere ancora il loro viaggio. A vederli lavorare capiamo che si possono fare miliardi di associazioni per creare insiemi nuovi e loro li provano tutti. Si può per esempio fare anche solo foto grandi e foto piccole. Foto di persone e di macchine. Foto belle e brutte. Famiglia tua, famiglia mia. Collegare gli insiemi è la storia. La foresta.

«Quando si diventa adulti?» mi chiede Nico mentre guardiamo le foto. Resto in silenzio perché non me lo sono mai chiesto e perché non so la risposta. Forse ha a che vedere con il desiderio di fare figli e prendersi la responsabilità di qualcuno? Con l'indipendenza? È da adulti l'indipendenza?

«Questa non la so» confesso alla fine. Nico è soddisfatto lo stesso. E pure io.

Salvare il pianeta terra

Nasce la figlia di mio fratello. La chiamano Gea. Come la terra e come la fabbrica di mio nonno. Come il centro di terapia della famiglia dove sono andata con mio marito per lasciarci. Raggiungo mio fratello in ospedale e lo incontro in corridoio con la bambina in braccio, sorride. Entriamo da sua moglie. La attaccano alla tetta, non la prende. Poi ecco. Gea è attaccata e mangia. Inizia il tratto di bic sotto il suo corpo. La sua traccia, la sua irrigazione.

Il caldo vero dell'estate arriva tutto in un'ora e io e Nico stiamo partendo. Il terrazzo è carico di frutta e di foglie accaldate. Abbiamo tutti sete e il glicine non deve avere sete. I vicini e la portinaia sono gli affidatari delle nostre melanzane, dei nostri pomodori e delle nostre fragole. Possono mangiarsi tutto.

«Ricordati che la città si svuota e la pressione dell'acqua cambia. Stai attenta anche da lontano!» si raccomanda Maria a proposito dei tubicini e degli ugelli.

Imparo che ad alcune piante avere sete può fare addirittura bene, chi l'avrebbe mai detto? Camminare a piedi nudi sul terrazzo è ormai impossibile, fa troppo caldo e solo le lucertole sono felici. Preparo le valigie e lascio la casa per l'estate.

Nico porta da solo le sue valigie e non ha più bisogno di aiuto neanche per allacciarsi le scarpe, addormentarsi, tagliare la carne. Uccidere le zanzare. Imparare queste cose ha preso anni, è stato un solo secondo. Gli piace volare, gli piacciono i treni, gli piace tutto tranne mangiare. Ha opinioni, gusti e desideri. Chiede ancora fratelli. Chiede ancora che io e suo padre torniamo insieme. Chiede anche se il mio fidanzato in qualche maniera è un altro suo padre. Chiede che io e il mio fidanzato stiamo insieme e non si vada mai via e se con lui gli farò allora un fratello. Chiede alla sua fidanzata di cinque anni di fare mille figli e in quel caso i figli li dovrò crescere io perché lui farà il pilota. Farà il pilota che scende sulle isole per piantare orti di frutta e verdura. La notte dorme bene e al mattino mi dice buongiorno mamma.

«Non riesco a capire se il libro che sto scrivendo funziona» dico a Nico.

«Hai messo abbastanza me?» mi chiede. «Più metti me, meglio è.»

«Ho messo moltissimo te» sorrido io. Mi guarda serio. Lo guardo seria.

«Hai messo abbastanza mezzi di trasporto?»

«Ci sono aerei e treni» dico.

«Devi aggiungere sicuramente trattori e razzi. E anche una navicella spaziale.»

Arriviamo sull'isola e ci sistemiamo per i mesi a venire. Mando il lavoro via mail ogni giorno entro le due e il resto del tempo siamo liberi. Lottiamo contro le meduse. Vogliamo salvare il pianeta terra. Vogliamo che tutti i bambini del mondo possano per sempre tuffarsi sereni. Dobbiamo comperare delle tartarughe per il Mediterraneo e dobbiamo chiedere alla tartaruga moncherina di Maria dove possiamo trovare altre tartarughe da invitare con noi al mare. Nico impara ad andare in bici senza rotelle e a nuotare meglio. Comincia a fare passeggiate più lunghe. Fa tuffi dall'alto. Ha paura dei cani grandi e del buio.

«Stare da solo non mi piace» mi dice.

Non so se confermare questa come unica idea fondante della vita o raccontargli che essere autonomi significa essere liberi e stare da soli è anche una meraviglia perché siamo comunque tutti connessi, vento, traccia, bic, sciame, polline.

Arrivano anche il mio fidanzato e i suoi figli. Proviamo la casa, proviamo il gruppo. Proviamo se due parti di famiglia fanno una famiglia. Proviamo gli insiemi possibili, il giardino infinito. Proviamo se un terzo posto che non è casa per nessuno di noi, può essere il posto migliore per noi. Io piano piano comincio a volere che i suoi bambini siano anche miei e a sentire la loro mancanza quando non vengono da me. Loro non mi ameranno mai in una maniera appassionata. Fa male, fa gelosia ma è così. Mi dispiace ogni tanto per Nico, perché non è loro fratello e loro due invece sono fratelli.

«Stare da solo non mi piace» mi ripete Nico anche in questo caso. «E a volte loro mi danno i pugni.»

Simulare che siamo una famiglia a volte funziona e altre no. Non funziona per esempio nella divisione delle stanze da letto in cui Nico rimane da solo, e convincere gli altri bambini a dormire con lui è sia triste che infruttuoso. Non funziona per esempio nella proiezione di noi nel futuro. Cammino certi giorni con tutti loro e di nascosto spero che le persone che incrociamo pensino che sono tutti figli miei. Api, polline, radici. Se qualcuno chiede, io resto vaga. Studio formule di risposte che lascino il dubbio. Amo Nico, amo loro e quindi amo tutti i bambini della terra, nella stessa maniera. Nello sciame, nella foresta, spero che tutti i bambini in me vedano la loro madre. Non mi interessa lo veda solo Nico o i figli del mio fidanzato. Loro non sono miei e io non sono loro. Quando siamo senza i bambini e incontriamo persone nuove che ci chiedono quanti figli avete io rispondo tre. Non dico io uno e lui due. Dico tre anche se dirlo è una bugia. Noi, di figli nostri, non ne abbiamo neanche uno. Però, se sono madre di tutti i bambini, sono tre e sono tre miliardi.

«Quanti figli avete?» mi chiederanno.

«Tre miliardi» dirò io.

«Stai bene?» mi chiede invece mio padre al telefono.

Abbiamo portato i ragazzi al mare nel sud dell'isola e stiamo tornando verso casa. La radio manda musica romantica e tamarra, il sole sta scendendo. I nostri figli dicono cose schifose, buffe. Cantiamo la canzone di una rapper che spiega che vuole tantissimi soldi. Ho i piedi nudi con la sabbia attaccata sopra. I capelli con il sale. Ogni volta che io e il mio fidanzato ci guardiamo sorridiamo di felicità.

«Sto benissimo» gli rispondo. «E tu?»

La macchina costeggia montagne di sale. Il sole è rosa e si riflette sui cristalli. Faccio vedere la lingua ai bambini come a dire sarebbe bello andare a leccare questa montagna. Aggiungo anche la smorfia dello schifo, per come sarebbe amaro il sale sulla nostra lingua.

«Aspetto un bambino» mi dice mio padre.

«Ok» gli rispondo.

Elenca i dettagli. I mesi. Il sesso. Maschio. Parliamo brevemente di altro. Torniamo al bambino. Fa qualche battuta. Mi spiega che per noi non è uno shock. Per come lo dice pretende sia vero. Dovrei essere io a dirgli che aspetto un bambino? Non è così che funziona il tempo?

«Per voi ormai non è importante» aggiunge. «Non avete bisogno di me.»

Non è il mio turno di avere figli e di avere un padre come è il turno delle lucertole di godere sul terrazzo bollente? Potrei parlargli della differenza che passa tra l'abitudine a non avere bisogno e il bisogno reale, nel passato e anche nel presente. Potrei dirgli anche solo che avremmo bisogno di lui ora.

«Sei felice?» gli chiedo.

«Certo» mi risponde lui. «E mi sembra giusto fare un bambino. La mia fidanzata è giovane.»

«Forse è il caso di conoscere la tua fidanzata.»

«Lo reputi necessario?» mi chiede.

È sinceramente stupito. Oppure recita benissimo.

«Vorrei conoscerla prima di prendere in braccio mio fratello, sì. Non vorrei fare le due cose insieme.»

«Non ci avevo pensato» mi dice lui. Forse non gli interessa che suo figlio abbia fratelli e sorelle?

Dico al mio fidanzato che mio padre aspetta un figlio. Che io aspetto un fratello. Aspetto un fratello quasi troppo piccolo per giocare anche con Nico. Quando nascerà, Nico avrà quasi sei anni. Il cuore salta un battito poi torna a posto. Riconosco nel salto di quel battito il cuore di quando avevo quattro anni, sedici, ventuno. Il mio di quando starò morendo. Le saline sono lontane ormai. Siamo nel centro dell'isola. Campagne, ulivi, terra rossa: il paesaggio è cambiato.

«Sei arrabbiata?» mi chiede il mio fidanzato.

Gli rispondo che per me è difficile arrabbiarsi per cose come questa. Come per gli imperativi impossibili, amami, desiderami, che ci si può fare? Non mi capisce, dice, lui si arrabbierebbe. Chiamo mio fratello e cerco di capire come sta lui.

«Sono arrabbiato» mi dice.

Chiamo mia sorella Diana.

«Dobbiamo conoscere la sua fidanzata» concorda lei. «Non vorrei mai che un nostro fratello pensasse che non abbiamo voluto essergli vicini.»

Mia sorella Allegra per il momento non la chiamo. Sono tredici anni che vive in Nuova Zelanda e non ho ancora imparato il fuso orario.

La sera nel letto faccio ancora i calcoli. Quando lui avrà l'età che ha Nico, suo padre avrà quasi settant'anni. Com'è per un figlio vedere così presto la vecchiaia, la decadenza invece che la forza? E mio padre, essendo di nuovo padre, non sarà nonno dei nostri figli ma neanche di quelli che avrà suo figlio piccolissimo. Quindi, rispetto alla questione nonno, i figli di suo figlio hanno più o meno lo stesso destino di Nico. La differenza sta nella certezza e quindi forse nell'assenza di aspettativa. Mio padre non ha fatto il padre. Ora non fa il nonno. Oppure al contrario ora che farà il padre, sarà finalmente padre? Mi sembra faticoso dover immaginare tutto di nuovo a sessant'anni anche se può essere in qualche modo eccitante. Una simulazione del ricominciare da capo come nuova occasione. Ricominciare però è anche ripetere e ripetere da meno giovani, meno forti, meno freschi. Non ho un'idea morale a riguardo ma è come rifare lo stesso livello del videogame, occuparsi dei mostri e delle vittorie del livello uno invece di quelli successivi. Vivere i sessant'anni con i mostri e i premi dei sessant'anni mi sembra invece più complicato. Essere padri e poi nonni e poi bisnonni. Forse a sessant'anni o settant'anni si potrebbe cominciare a occuparsi di come si lascerà la vita, piuttosto che dell'asilo nido e insegnare ancora una volta a qualcuno come si sta seduti a tavola e a dire grazie e buonasera oppure l'inglese, peraltro l'inglese senza avere tutti quei soldi per i corsi. Qual è la posizione di un padre di sessant'anni sulle canne? E sulle sigarette? Le canne non possono essere importanti e neanche l'inglese. La vita sta per finire tra dieci o vent'anni. Chiamo mia madre e cerco di capire come sta lei.

«Pensavo facesse meno male» mi dice. «Mi sento ancora più sola.»

Ha fatto la madre quasi da sola. Ora fa la nonna da sola. Ma credo che a fare male sia l'idea sotterranea di avere sempre tempo per rimettere le cose a posto, forse addirittura tornare insieme. Avvenimenti come questi rendono meno credibili certi pensieri. In senso positivo, interrompono anche diversi loop.

«Come può ora volere un bambino piccolo?» mi chiede. «Non gli faranno male le spalle? Non si annoierà?»

In qualche modo un bambino piccolo è sempre una meraviglia, penso. Però come le piante, come l'estate, come il tempo che passa, mi domando se non sia più semplice seguire un ritmo naturale. Mio padre potrebbe camminare per strada con i suoi figli grandi, mangiare con loro, parlare con loro da adulti, non doversi piegare troppo con la schiena. Passare l'esperienza dei matrimoni passati, del tempo, dei suoi trent'anni, dei quaranta, dei cinquanta. Potrebbe riempire i suoi figli grandi dei suoi ricordi, del suo presente, ascoltare le loro vite. Stare con loro. Cioè con noi. Mi dispiaccio poi all'idea che arrivi al mondo un bambino che è già solo come siamo stati soli noi. Ma è solo, e in effetti siamo soli, comunque la si metta. Immagino l'appartamento in cui il piccolo crescerà, con un padre assente e anziano e una giovane donna che si sentirà abbandonata. Prendendo in braccio un neonato alla mia età e posandolo vicino al seno, io di certo mi sento fisicamente e mentalmente una madre e non una sorella. Allattare più che giocare, direbbe il mio corpo ad avere in braccio un neonato. Estate. Inverno.

«Quando si diventa adulti?» chiederebbe Nico.

Dopo quella notte non ci penso più granché ma mi accorgo che lo dico spesso alle persone. «Aspetto un fratello» dico. Oppure: «Mio padre aspetta un figlio». Le reazioni sono o indifferenza o disappunto. Solo mio marito, quando glielo dico, mi scrive: "Che bello". Non so neanche da dove mi risponda e non so neanche perché io glielo abbia detto.

Quando torno dall'isola torno anche alla mia vita con Nico. Siamo più grandi, più abituati e più forti. Il limone ha decine di limoni. Il fico ha foglie grandi e decine di fichi. Insieme al mio fidanzato mi mancano, a questo punto, anche i suoi figli e ho pensieri inquieti di un altro inverno in questa casa con le piante che diventeranno rosse, gialle e poi sembreranno immobili. Portare da sola Nico a scuola al mattino. Portare Nico in piscina, a inglese. Avere freddo. Non abbracciarmi. Mi chiedo se devo fare crescere piante nuove, mettere più radici intelligenti, oppure no. Imparare la solitudine come nuova verità o mischiarmi ancora di più. Aggiustare le porte perché non sono per niente sicure e abitiamo qui da soli o lasciare queste serrature fragili perché tanto cambierò casa, vita, città. Quindi io e Nico siamo più forti ma anche più deboli perché siamo di nuovo soli. Siamo soli tutte le volte che non mi ricordo di essere madre di tre miliardi di bambini, certo. Del resto, se ci penso bene, dovrei occuparmi di questi tre miliardi di bambini e anche se continuo a ripeterlo non lo faccio. Dov'è finito il laboratorio di verdure sul terrazzo? Così, per fare ordine, prendo ancora più appunti. Inizio a organizzare le frasi e a dividere gli insiemi, i sottoinsiemi. A costruire una scaletta. Sposto i vasi, imposto l'anno, la trama, metto i chiodini per aiutare i rampicanti e con una bic mappo le pagine bianche. Si moltiplicano.

La forma della vita

«Non volevo svegliarti» mi dice la cartomante.

Mi sta picchiettando la fronte.

«Allora perché mi picchietti la fronte?» chiedo io.

«Per farti dormire meglio» sorride lei. «E perché voglio ricordarti che sei nel presente. Sei viva, stai bene, sei qui. Il merlo è già tuo amico e tu stai già scrivendo.»

Chiudo gli occhi. Vedo il merlo. Li riapro. Vedo mio padre.

La cartomante continua a picchiettare. Sintonizzo il mio respiro al suo respiro. Sintonizzo il mio cuore al suo cuore. Lei picchietta più forte. Io respiro più forte.

«Dormi di nuovo» mi dice lei. «Più profondamente, però. Muori quasi, ok?»

«Vacci piano» dico io. «La morte non mi va proprio.»

«Pensi di essere speciale in questo?»

Lei aumenta la pressione delle dita, il ritmo e io subito dormo. Forse, quasi muoio.

Siamo alla galleria di mia madre ex fabbrica di mio nonno. Sono i giorni del festival di letteratura che ospitiamo e che prende il nome dalla macchina totem e ora si svolge senza la macchina totem. Siamo seduti nel cortile e Mr Bharat è in

Italia per noi e per altre macchine che deve comprare altrove. È un'annata più dimessa anche per il festival, c'è meno gente, ci sono meno luci. C'è meno da bere e da mangiare. Forse c'entra anche l'assenza della Roland Ultra: a noi manca, noi le manchiamo? Mio marito sto smettendo di conoscerlo, è lontano. Mio padre non lo conosco, è lontano da sempre. Il mio fidanzato abita lontano, posso conoscerlo davvero? Il merlo si sta piano piano avvicinando ma non sarà mai vicino abbastanza. Non si appoggerà sulle mani di Nico come lui spera. Soprattutto, non ci aiuterà mai a sparecchiare.

«Volevo sapere se la macchina sta bene» chiedo a Mr Bharat. «Mi racconta cosa è successo una volta arrivati in India?»

Mi sorride e mi risponde che la Roland sta bene, produce scatole, dà lavoro, è anche molto bella. Io allora la immagino più bella che mai, mentre dà lavoro, produce scatole e la circondo di una vegetazione tropicale, elefanti, tigri, scimmie e altri animali della giungla indiana. C'è un ghepardo. C'è un pavone. Posiziono svariati langur e bisonti. Quella stessa notte scrivo una mail a mio padre.

Ciao Papà,

ci sei mancato tutta la vita. Ci tenevo a dirtelo, che non ti venisse il dubbio che non ci siamo accorti di essere stati privati di te. È stato un peccato averti così poco. Com'è che quando voi vi siete lasciati, noi non si è neanche mai fatta l'ipotesi che si dormisse da te o ti sia venuta l'idea di fare una cena a settimana coi tuoi figli? Due in cinque anni? Una in dieci? Perché non hai mai fatto un fine settimana con noi? Un viaggio? Non ci fossero state le mie mail, come saremmo andati avanti? Non ti piace essere padre e non ti piace essere nonno? Quando mi hai annunciato che aspettavi un figlio, hai detto "Tanto voi non avete più bisogno di me. Non è uno shock", l'hai detto come a spiegarlo, come un imperativo. L'hai deciso. Avevamo bisogno di te ma non c'eri, abbiamo bisogno di te ma non ci sei. Mi dispiaceva a quindici anni, a ventidue e mi dispiace a trentacinque. Scusa se le mie parole ti fanno soffrire

però ho l'urgenza di non tenerle per me. Forse perché la storia non si ripeta. Non è un'accusa, non è un giudizio: solo tua è la tua storia. Però è necessario per me dirtelo e dirti anche in questo modo come sono io.
Ti abbraccio, Anna

Quella stessa notte lui mi risponde.

Ciao Anna,
stai di nuovo scrivendo un libro allora. Come posso aiutarti da padre, non da lettore o da avvocato o da giudice, in questo tuo racconto verosimile e crudele? Ogni padre è unico e non si può cambiare, questo è il nocciolo della tua sofferenza (insofferenza). Come tante altre cose nella vita (tutte?) il pacco si prende tutto assieme. E come tante altre cose (tutte?) cambiano se cambi l'arco di tempo in cui le vedi. Per me la nostra vita si divide almeno in due: voi piccoli, voi grandi. Voi grandi non siete la mia vita, e il racconto di quel tempo lontano non può essere così scontato. La mia vita e il mio amore sono certo un poco autistici, ma è così da sempre, dal mio primo ricordo da piccolo come è Gea, a oggi. Da grandi è stata un'immensa sorpresa, e felicità e sollievo, vedervi persone, autonome, indipendenti, come un compito miracoloso riuscito esattamente quando la vita nella nostra famiglia si è spezzata in due. Le due cose hanno coinciso, erano mature assieme. Ma non è troppo semplice parlarmi di cene non fatte, di vacanze mancate senza aggiungere che in tutta la mia vita non faccio cene e mi sottraggo sempre? Non sta in questo la crudeltà del tuo racconto? I nostri personaggi li rappresentiamo come vogliamo noi; tu lo fai, io idem. Andiamo alla sostanza: hai avuto un padre cieco, sano però, simpatico il giusto ma cieco. Se ci pensi la sua cecità ti irrita "ma cazzo, stai attento a quel palo! Cristo, possibile che non ti piaccia quell'arcobaleno?". Questo è quello che mi rimproveri: non vuoi essere messa nella categoria del mondo che non vedo. Almeno per la famiglia la cecità non deve valere, guardaci! Amaci! I ruoli vanno scritti con minuzia e cura. L'abito che mi hai cucito addosso scritturandomi non è il mio. La mia assenza è l'assenza biologica, l'esserci nel necessario, istantaneamente e con sorpresa, a breve non esserci, la forma della vita, quello per cui siamo generati. I tuoi pensieri insomma sono un buon

allenamento per quando non ci sarò più. La mia certezza è di avere avuto con tutti almeno un periodo nella vita di legame profondo, intenso e ricambiato (anche se sei parte in causa non sei obbligata a condividere, è una mia sensazione collegata a te sottile e piccola che ti arrampichi su di me abbracciandomi). La mia speranza è di riuscire ad avere con tutti un secondo momento dello stesso genere, prima o poi. A me, cieco, basta. Ciao, papà

Non ci scriviamo più e come al solito non ci vediamo mai. La mappa di questa distanza la conosco fin troppo bene per accoglierla come nuova o volerla esplorare di nuovo.

Dall'America torna Maria ed è felice. Mi racconta dell'ospedale e dei giardini per l'ortoterapia. Le aree di verde riservate ai bambini o ai malati mentali. Mi parla di camminate nel quartiere coi volontari, mete facili che si possono raggiungere in un quarto d'ora andando piano.

«Non sono camminate terapeutiche o speciali. Sono solo camminate. Certo stimoli il tatto, l'olfatto, il linguaggio. Si può anche parlare di piante ma così, giusto per avere un argomento di conversazione.» Mi dice che la sua referente del tirocinio aveva i capelli assurdi proprio come nelle foto che avevamo visto su internet. Mi racconta i laboratori con bambini, malati gravi, persone travolte dalla chemioterapia: «Sono tutti laboratori aperti tranne quelli con gli ustionati. Ho visto due ustionati gravi, entrambi senza un braccio, che costruivano delle casette per gli uccellini e per i pipistrelli. Uno teneva il legno e l'altro martellava». Mi racconta che quando si arriva completamente persi a un ospedale entrare in un sistema così aiuta molto. Per esempio ha visto due genitori con il figlio ricoverato da sole ventiquattr'ore. Erano distrutti ma entrare nel gruppo degli altri ustionati li ha portati in un luogo familiare e comprensibile. «Le attività durano pochissimo. Dieci minuti, quindici al massimo» mi dice. «Servono ai familiari non solo durante l'emergenza ma anche nei lunghi periodi di ricovero. In inverno, quando in giardino fa troppo freddo, si lavora davanti alle finestre. Lì fuori ci sono le stagioni, tutto continua a mutare, il giardino continua a esistere, le foglie proteggono e spalancano la vita dell'ospedale.»

Le preparo da mangiare, apriamo la porta del terrazzo, camminiamo fuori insieme. Il giardino continua a esistere, le lucertole, da qualche parte, aspettano.

Faremo Foresta!

Alla Gea, galleria di mia madre ex fabbrica di mio nonno luogo dell'aneurisma di Maria e del matrimonio di mio fratello, con una grande festa inaugura la mostra sulla Roland Ultra. Nico gira tra le opere e le fotografa con il mio telefono. In una stanza buia rimbombano i suoni di Delhi e una piccola torcia illumina gli angoli e la polvere. Dentro a una celletta di vetro sono appesi i disegni di Nathalie du Pasquier dove la Roland è anche una mucca sacra dell'India. Grandi video proiettano strade indiane e la macchina che lavora a pieno regime. Le pareti della Gea sono coperte dalle fotografie.

Nella sala centrale dove la Roland era inchiodata, è appesa una rete su cui è proiettata l'immagine della macchina. È un fantasma ed è ancora lì. C'è la musica. Ci sono le scatole da frutta stampate in India. Il mio fidanzato, che è di passaggio a Milano, compera una foto grande: un tetto su cui camminano un uomo e un cane in mezzo agli slum e alle piante. Nella foto il verde delle piante inghiotte i palazzi e il terrazzo è un trampolino in mezzo a tutta la natura, un punto di vista sul verde e sulle foglie, sopra le case, sopra i cuori e le teste degli altri. Immagino di coltivare il mio terrazzo fino a che tutte le foglie e tutte le piante inghiottiranno ogni cosa, noi, gli altri, il paesaggio e fino a che la terra non sarà più coltivabile e gestibile. Saremo tutti in una foresta, faremo tutti foresta, ci saranno i pappagalli, le lucertole, i canguri e sarà l'uomo ad aver creato il selvatico.

Quella sera alla Gea arriva anche mio marito con la sua fidanzata. Ci salutiamo. Si è rasata i capelli per uno spettacolo, è molto bella e all'improvviso mi sembra anche molto alta. Girasole anche tu? Provo a parlarle in spagnolo. Lei mi dice che lo parlo quasi bene. La guardo giocare con Nico, il cuore va veloce e rapidamente si assesta di nuovo. Lei e mio marito vanno via. Noi rimaniamo un'oretta in più e quando portiamo Nico a casa il cielo è pieno di stelle che si vedono. Non è pieno di stelle che non si vedono.

«Da quando si vedono le stelle qui?» mi chiede il mio fidanzato.

Gli sorrido come per vantarmi, quasi le avessi messe io per fargli capire che se stiamo insieme, se stiamo vicini, la città si riempie di stelle. Soffia il vento. L'aria sa di terra delle fattorie.

«Il fatto che si vedano le stelle è di certo merito nostro» suggerisco.

Arriviamo a casa e metto Nico a letto. Raggiungo il mio fidanzato in cucina e come al solito nel frigorifero non c'è granché. Nico mangia poco. Io è come se a questo punto preferissi le mandorle e comunque vorrei essere circondata dalla foresta indiana e nessuna pianta mi basterebbe. Ci versiamo un bicchiere di vino e usciamo di nuovo a guardare le stelle. Ci abbracciamo.

«Quando vieni a vivere a Londra?» mi chiede.

«Potresti venire tu a vivere a Milano» dico.

«Vuoi che venga a vivere a Milano?»

«Voglio venire dove sei tu e voglio che tu vieni dove sono io» dico. «Sempre.»

Le stelle scrivono WOW sulla volta celeste.

«Passo a spostare le piante. Dobbiamo cambiare la disposizione e la distribuzione di alcuni pesi» mi dice Maria al telefono il mattino dopo. «Dovresti anche far controllare se il terrazzo regge.»

«Tra l'altro vorrei degli alberi» dico.

«Non puoi avere radici così grandi.»

«Intendi dire che sono una persona che non può avere radici?»

«Sto parlando del terrazzo. Se ci metti gli alberi crolla.»

«Neanche un albero solo?»

«Non qui, no.» Qui non posso mettere alberi! Quando vado a vivere a Londra?

Maria viene a vedere come girare le piante ora che sono troppo grandi e porta con sé un aiutante. Camminano per il terrazzo e lungo i balconi. Certi vasi qui sopra non reggeranno e li metteremo in cortile, per tutti. Crescere piante da regalare mi piace molto. Alberi interi. Figli. Posso fare boschi cominciando da oggi. Posso cambiare l'aria che respiriamo. Cambiare l'idea di famiglia, di casa. L'ho spiegato a Nico mesi fa, ma forse non ci credevo ancora? Per lui casa è già il movimento tra le case. Avevo mentito quando gli ho chiesto di fidarsi e spiegato che il nostro corridoio era a cielo aperto? Ora posso crederci anche io.

«Perché mio padre ha dodici alberi e io non ne posso avere neanche uno?» chiedo a Maria.

«Devo risponderti sul serio?» ride lei. L'aiutante mi guarda e mi compatisce. O forse gli piaccio. Gli piaccio e mi compatisce, insieme.

«Lui ha anche sei figli» sussurro perché nessuno mi senta. «Io uno.» Quando l'aiutante se ne va, dico a Maria: «Secondo me diventeranno pure sette. O forse diciassette».

«Mi sono fidanzata con un ragazzo» mi interrompe lei. «Siamo molto diversi. Lui non capisce certe cose che gli dico e io non capisco certe cose che lui mi dice. Di piante non sa niente. È schizzinoso sia della terra che degli animali. Anche la mia tartaruga non gli piace. A me però piace lui. Molto.» A fine pranzo Maria sradica i girasole che sono morti. Taglia le teste. Toglie vari semini. «Ne tolgo pochi, il resto lo farà Nico. Vanno seccati così poi potete darli agli uccellini che ci aiuteranno a spargerli.»

Quando Nico torna da scuola gli faccio vedere come si fa e l'idea gli piace molto. Nei giorni seguenti secchiamo i girasole. Cominciamo a ripulirli. Lui e il mio fidanzato hanno prodotto cibo per gli uccellini: una magia. Di sicuro sappiamo sfamare qualche essere vivente. E loro sanno spargere i semi.

«I primi semi sono per il merlo» mi dice Nico.

«Sono per tutti gli uccellini» gli dico io.

«Sono per tutti i merli che vogliono abitare con noi» precisa lui.

«Non possiamo fare differenze.» Sono madre di tre miliardi di bambini, non posso scegliere di nutrire un solo merlo. Al mattino mettiamo in una casetta per gli uccellini i semi per il merlo e gli altri quattrocento milioni di miliardi di uccelli del pianeta. Per qualche giorno i semi rimangono lì, non li mangia nessuno. Né il merlo né i piccioni. Rientriamo ogni volta in casa con una certa preoccupazione. Nico non si dà pace.

«Spostiamo la casa» mi dice un giorno.
«La nostra?» mi illumino io.
«La casa del merlo. La nostra non si può.»
«Scegli tu dove» gli suggerisco.
Nico sposta la casa del merlo più lontano da noi. «Ha bisogno di stare lontano da noi per mangiare» spiega.
Dalla cucina guardiamo la casetta in fondo al terrazzo. È un triangolino bianco. È un concetto anche nella sua forma. Il giorno dopo il merlo comincia a mangiare e al mattino facciamo colazione con gli uccellini che cantano.
«Adesso la avviciniamo» mi dice Nico. «Ma piano.»
E ogni giorno Nico sposta di qualche centimetro la casa. Ogni giorno poi continua a staccare i semi dal girasole e il merlo continua a mangiarli. Fino a quando la casetta degli uccellini è di nuovo attaccata alla nostra e il merlo smette di avvicinarsi.
«Dev'essere lontano giusto» mi dice Nico. Così troviamo la distanza giusta.

La mostra della Roland Ultra rimane aperta qualche mese. Ospita presentazioni di libri e un paio di feste private. Alla serata di chiusura ci sono di nuovo celebrazioni, stuzzichini indiani e tè bancha.
Mia madre mi dice che hanno venduto soltanto tre foto. Nico si mette davanti al video della Roland che stampa in India, prende il mio telefono e fa il video del video. Chiede ritratti alle persone. Fotografa le lenticchie al curry. Scatta tutte foto dal basso, da dove ci vede lui. A riguardare le sue immagini il mondo è pieno di persone giganti e cielo. Ci sono io seduta sulla panchina e c'è Mr Bharat. Ci sono mia sorella Diana e mio fratello con sua moglie, la loro bambina Gea in braccio. Attorno a noi, dentro e fuori dall'inquadratura, il mondo intero.
«Voglio andarmene» dico a mia madre. Dirlo ad alta voce è una rivelazione, soprattutto per me.

«Stai fino alla fine della festa, dài.»
«Voglio andarmene da questa città.»
«Non puoi» mi dice. «Come fanno Nico e il suo papà?»
«Voglio andare in un posto a una giusta distanza. Cambierebbe ma non troppo. Porto qui Nico quattro giorni al mese e quattro giorni al mese viene suo padre. Si può fare anche cinque e cinque. Si può fare tutto, in pratica.»
«Non puoi» mi ripete lei. «Nico sta bene qui.»
«Sta bene. Qui. Lì. Sta bene in generale e continuerà a stare bene. Vorrei vivere con il mio fidanzato. Vorrei lasciare questa città. Avere degli alberi. Forse potrei fare anche altri bambini. Volendo ne posso avere ancora sei. Se mi impegno, nove.»
«Vuoi altri nove bambini?»
Possiamo sia ridere che arrabbiarci ora. Nel dubbio respiro come mi hanno insegnato al corso preparto. A yoga. Nelle application dell'iphone per calmarmi in aereo. Me l'hanno insegnato ovunque, con molte voci e molti sussurri. Rilasso il diaframma. Ripasso i sussurri. Imparare a respirare è un'impresa scema come credere di poter fare battere il cuore secondo i propri desideri? Come pensare di poter decidere quale girasole diventerà più alto?
«Troverai un modo» mi dice mia madre.
«Non sono da nessuna parte così. Non amo nessuno per bene.»
«Sei tu che continui a dire che tutto è movimento. Non usi sempre la parola sciame?»
«Se fosse un'ora di treno neanche ne staremmo parlando. Hai paura dell'aereo?»
«Quella sei tu. Il cane lo vuoi o no?»
Lo propongo anche a mio marito. Per mesi gli spiego perché voglio partire. Gli propongo anche un cane, per la verità. Da tenere a metà o meglio da tenere con Nico in qualunque casa Nico sia. Per fortuna, mio marito dice di no al cane. Per andare via provo mille versioni possibili. Lui risponde sempre e soltanto no. A volte sono a Milano con Nico e lui è via

per lavoro e in quei casi mi arrabbio. Anche se è a Milano e io sono con Nico e lui non lo vede, mi arrabbio. Però senza il suo appoggio, senza che anche lui approvi che la casa da spiegare a Nico è sempre più grande, il corridoio per andare da una stanza all'altra ha degli aeroporti di mezzo, le Alpi in soggiorno, il piano non funzionerebbe.

«Ho letto che Virginia Woolf andava a molte feste, mi hai mentito» urlo allora a mia madre.

«Erano feste diverse. Più intellettuali. Soprattutto, lei ci andava controvoglia» dice lei.

La mostra viene smontata, le foto vengono impacchettate, la stanza è vuota. Vado con Nico a vedere le fotografie imballate e giriamo per le stanze con il monopattino. La Gea non è più una galleria d'arte ed è di nuovo la fabbrica di mio nonno. L'arte va via e gli indiani ripartono. Mia madre vuole vendere la fabbrica. Niente Ping. Niente Pong.

Mi chiede se vorrò le piante del cortile.

«Allora piantiamo le piante nuove?» mi chiede anche Maria al telefono mentre giro nei tremila metri quadri bui.

«No» le rispondo. È interdetta. «Va bene, piantiamole» mi correggo subito.

«Sicura?» mi chiede di nuovo Maria.

«Sicura» confermo.

Niente di male può venire da altri semi e da altri fiori. Anche se me ne andrò, se riuscirò a convincere tutti e se non avrò preso un cane, la foresta può continuare a crescere. Arriverà ovunque, di certo fino alla mia nuova casa e quindi le distanze saranno poca cosa. Avremo lo stesso habitat. Ci ciberemo della stessa frutta. Saremo protetti come le farfalle. Useremo le liane per andare da un albero all'altro. O almeno, le useranno le nostre scimmie. Pianteremo nuove piante insieme a ciuffi d'erba, roba che si muova, che sia selvaggia, forte e che vada veloce. Che ci nasconda e ci protegga. Creeremo una visuale mossa in cui la distanza sarà indecifrabile e quindi inesistente. Seppellirò Milano sotto una vegetazione fittissima. Seppellirò il vuoto e ne farò fiori, frutta, verde. Arriveranno i coccodrilli e noi non avremo paura dei coccodrilli perché saremo stati noi ad avergli offerto una casa. Tra qui e Londra, una foresta. La nostra. Tra me e il resto del mondo nessuno spazio per il vuoto. Solo alberi, radici, chimica buona.

Mentre giro ancora con Nico nella fabbrica vuota, trovo un album di fotografie sulla preparazione del viaggio della Roland Ultra. Dopo qualche pagina mi viene incontro una foto che non avevo mai notato: Alessandro durante le prima giornata di smontaggio della macchina. Mi ero dimenticata che ci fosse anche lui. Mi ero anche dimenticata di Alessandro.

Alessandro e Diana ogni tanto si dicono che si mancano o che non si mancano, litigano o stanno bene a seconda delle volte. Diana ha trovato una casa da comperare, molto piccolina ma con il terrazzo. Anche Alessandro ha trovato una casa da comperare. Hanno comperato le loro due case, divise. Le hanno costruite. Hanno scelto le loro cucine e i nuovi ripiani. Si baciano con nuove persone, programmano viaggi senza consultarsi e questo anche se dovessero essere viaggi nelle Filippine. Preparano da mangiare per altri e a volte per mesi sono così distanti che non sanno più nulla l'uno dell'altro. Mia sorella Diana durante il cantiere mi dice: «Forse gli operai pensano che mio padre è morto visto che non viene mai a vedere la mia casa o a darmi qualche consiglio». Immagino mio padre morto. Gli faccio un funerale. Scelgo per lui la canzone Absolute Beginners, perché ce l'aveva fatta imparare da piccoli. Mi fa sorridere l'idea di Diana che crede che gli operai del cantiere pensino al suo papà quanto lo pensa lei. Lei pensa ai papà degli operai?

«Non è che se ho una casa vuole dire che rimango» mi dice Diana appena la casa è finita.

«Ovvio» le dico io. «Fossi in te comincerei a svuotarla.»

Tocca più cose che puoi

Verso Natale parto di nuovo con Nico, il mio fidanzato e i suoi figli. Stiamo insieme una settimana, siamo felici. Stiamo come al nostro solito in un terzo posto, che non è né casa mia né casa loro. È un posto semplice in cui nessuno ha un passato o deve progettare il futuro. Possiamo essere bravi e sapere che tutto finirà comunque. Possiamo inventare regole nuove e piaceri che devono durare poco. Nessuno deve fare la spesa o riparare la porta d'ingresso e occuparsi del pediatra. È molto facile amarsi dove non si possiede niente e niente chiede di essere riparato. Possiamo essere gentili l'uno con l'altro perché al massimo bisognerà essere gentili una settimana e possiamo essere dolci perché nessuno dovrà occuparsi della nostra amarezza o fatica, quando la vacanza non c'entrerà più niente e cominceranno invece tutte le cose che non siamo capaci di fare o che siamo obbligati a fare. Quando avremo l'influenza saremo di nuovo lontani e qui invece possiamo essere forzuti, abbronzati. Qui capiamo la natura, la assecondiamo, ci assecondiamo. A casa certe volte sorrido poco ma qui riesco a sorridere sempre.

Una sera siamo a tavola in un ristorante e ricevo una mail da mio padre.

È nato questa sera Romeo, un paio di settimane prima di quando lo aspettavamo. Mi sembra bellissimo e buono, magari lo sarà per tutta la vita. Tutto è filato liscio in questa lunga giornata e ora vado a dormire sfinito, contento e assediato dai pensieri. Ciao, papà

Ciao. Dove sono io in viaggio sembra estate. Dove è lui è pieno inverno. Rileggo un paio di volte la mail. Ne arrivano in fila altre sette con le foto. In alcune il bambino, mio fratello, è nella culla da solo. In altre mio padre lo tiene in braccio. In una lo allatta con il biberon.

«È nato mio fratello» dico ai bambini.

«Come tuo fratello?» chiedono loro. Non si ricordano di essere stati con me quando ho ricevuto la notizia della gravidanza.

«E di chi è figlio?» mi chiede Nico.

«Del nonno» gli dico.

«Di tuo nonno? E chi è tuo nonno?» mi chiedono tutti e tre.

«Di tuo papà. No scusa, di mio papà. Cioè tuo nonno.»

«È vecchio. Si può?» mi chiede Nico.

«Si può.»

«Se è vecchio muore» dice lui.

Non dico niente perché se non ammetto che le madri possono morire nelle favole, figuriamoci i padri e le madri nella vita. Di certo a me stanno ancora succedendo cose che loro digeriscono così così: anche loro si chiedono se avranno altri fratelli e io in qualche modo ora ho una nuova matrigna. Vorrei dire a Nico che non c'è un limite di tempo in cui si possa avere un fratello. Non lo faccio.

«Chi è la mamma?» mi chiedono.

«La sua fidanzata. Non la conosco» spiego.

Nico si mette a disegnare sul tovagliolo. Tutti si distraggono. Scorro di nuovo le foto e guardo le lenzuola in cui dorme mio fratello. Le lenzuola hanno gli stessi disegni di quelle dell'ospedale dov'è nato Nico. Sono cagnolini dalmata. Voglio un cagnolino o no? Mi chiedo se miracolosamente siano lo stesso paio di lenzuola. Cagnolini dalmata su cui è stato posato Nico appena uscito da me e cagnolini dalmata su cui è stato posato stanotte mio fratello. Le tazzine di caffè che uso al bar e che dopo usa il mio ex marito. Scatole con scritto libri, vestiti miei, vestiti tuoi.

«Come ti senti?» mi chiede il mio fidanzato.

«Non sento» dico io.

«Allora scrivi» dice lui copiando mia madre.

Mia madre torna in India e si mette lontano da tutto e anche dal nuovo figlio di mio padre, nostro fratello. Con mia sorella Allegra, arrivata dalla Nuova Zelanda, si sottopongono a un intenso Panchakarma. Io non so neanche cosa sia il Panchakarma, così metto la parola su google. Leggo che il Panchakarma è un'antica pratica ayurvedica di depurazione che usa erbe e oli naturali per purificare l'organismo. Secondo l'ayurveda, una persona gode di buona salute quando corpo e anima sono in perfetto equilibrio con la natura. Per via di uno stile di vita non corretto, un gran numero di individui soffre di disturbi che con il tempo sono destinati a peggiorare. È invece possibile ristabilire l'equilibrio dei dosha, i tre principi biologici alla base di tutti gli organismi viventi, e indirizzarci così verso un'esistenza più felice.

Quando finiscono il Panchakarma mia madre e Allegra ci mandano foto in cui sono belle e riposate. Hanno i capelli lucidi. I denti sono molto bianchi, la pelle è luminosa. Ridono come ridono le persone in India. Siedono su scogliere. Camminano nelle città. Sono avvolte nei sari. Mia sorella torna in Nuova Zelanda e mia madre rimane in India. All'inizio vuole tornare in Italia, mi chiama e dice che ha la malinconia. Le dico che qui piove. Che è brutto. È brutto quando non piove, figuriamoci quando piove! Non tornare assolutamente!

«Mi mancate voi» mi spiega. «Anche se è brutto o piove a me non importa.»

«Vorresti venire da noi anche se piovesse pioggia radioattiva e fossimo in una città dove c'è un terremoto e in contemporanea un'eruzione vulcanica?»
«Cretina» mi dice.
«Non hai risposto alla mia domanda» le dico io.
Si ferma in India. Manda foto dell'alba. Manda qualche mail in cui dice che sta bene. Passano altre due settimane.

Cari amori,
oggi vado a visitare uno studio di architetti a Mumbai. È a un'ora di barca + una di auto da sud e mi fermo a dormire lì. Domani vado ad Ahmedabad per un matrimonio che dura quattro giorni. Era meglio fare la cura Panchakarma e tutto il resto alla fine, non all'inizio di questo lungo viaggio, ma non avrei potuto farlo con Allegra che invece è stata un grande regalo per me. Abbiamo riso tanto. Sono piena di bagagli con i soliti stupidi regalini indiani per i bambini ed è un po' scomodo viaggiare così, però come è bello essere in viaggio! Come è bello essere in movimento. Ieri ho passato la giornata con una ragazza che avevo conosciuto l'anno scorso e che si sposa a febbraio. Siccome non posso fermarmi fino al suo matrimonio, ha voluto che vedessi dove si svolgeranno le funzioni e mi ha invitata a fare l'assaggio del menù di uno dei nove ricevimenti con lei, un po' di persone della sua famiglia e i futuri suoceri con i quali secondo tradizione andrà ad abitare. È stato molto divertente: tutti che dicevano che cosa non andava bene, di aggiungere un po' di sale, o di zucchero, o di sostituire la menta con il basilico o di cambiare la forma delle polpette. I cuochi e gli organizzatori diligentemente e rispettosamente prendevano nota. Tutto vegetariano e cucinato in modo diverso per i giainisti che non mangiano aglio, cipolle, patate, melanzane, non bevono alcol e via dicendo. Qui sul mare ora c'è un'alba tutta rosa, con i gabbiani e le barche attraccate. Molto romantico, come in un film americano degli anni Cinquanta. Tanti baci e a presto, la mamma

Un film americano degli anni Cinquanta come le visioni durante il coma farmacologico di Alessandro. Mi ha raccontato

Alessandro che di tutto il percorso riabilitativo e del lungo elenco di operazioni a cui si è sottoposto dopo l'incidente, ha provato dolore solo per quarantotto ore. I giorni del male sono stati quelli che hanno seguito l'operazione al polso. Una volta tornato a casa, la sua riabilitazione fisica è cominciata esattamente da lì, da minuscoli movimenti delle dita.

«Tocca più cose che puoi» gli aveva detto il fisioterapista. «Il cervello è bravissimo a dimenticare mentre fa una grande fatica a ricordare.»

Tenere tra due dita gli oggetti era all'inizio impossibile. Il vero problema è stato tutto quello che era sottile, lieve, senza spessore. Come Maria che per molti mesi, dopo il lungo periodo a letto, si sentiva brava anche solo ad alzarsi, e quando ha cominciato a rifare il letto ha pensato che era proprio guarita.

«All'inizio non sentivo neppure» mi ha detto Alessandro, «avevo perso il senso del tatto. Andavo in un centro specializzato nella mano dove una signora per mezz'ora mi massaggiava i tendini. Il massaggio era così leggero che non si sentiva neppure. Ogni tanto mi diceva ora ti faccio male e mi faceva male. Anche lì, sono stato solo un corpo ed essere solo un corpo era dolce e anche comodo per la mente.»

Sulla terra alcune persone sanno tutto della mano. Di un dito. Altri tutto ma proprio tutto delle unghie. Una conoscenza specializzatissima che è simile ad avere una missione molto chiara e che serve anche a conservare i nomi di certe piccole cose che devono continuare a esistere. Unghie, semi, noi. Lauroceraso. Nico.

«Tocca più cose puoi» mi dico anche io.

Mi ripeto anche che il cervello è bravissimo a dimenticare. Come ho appunto dimenticato la mia vita con mio marito, l'amore, l'intimità, la conoscenza. Funziona così per qualche motivo? «Tocca più cose che puoi» mi dico ancora e finalmente immagino che toccare più cose che possiamo è una regola che andrebbe bene per molto di noi. Di me e mio marito. Di me e mio padre a cui basta il ricordo di me che mi arrampico su di lui a quattro anni. In fondo sarebbe l'unico insegnamento da dare a Nico, anche se ai bambini si dice sempre non toccare, non toccare, non toccare. Dirgli tocca più cose che puoi avrebbe molto più senso. Farsi segnare le mani, sporcarsi. Scrivere, creare, fare foresta.

«Tienimi la mano sulla testa» mi chiede Nico nel letto.

«Come?»

«Uguale a un cappello per il freddo» dice come fosse ovvio. Toccami. Fammi esistere. Se non mi baci muoro.

Come stanno le piante?

Io e Nico decidiamo di andare a conoscere mio fratello. Di andare a toccarlo. Prendiamo qualche vestito di quando Nico era neonato, qualche gioco del passato e da oggi del futuro e gli faccio disegnare un biglietto di congratulazioni. Nico scrive Romeo, che è il nome di mio fratello. Camminiamo e siamo tutti e due grandi. Anche Nico è grande: sa scrivere Romeo.

«Io sono suo zio?»

«Lui è tuo zio» gli spiego in tram.

«Posso tenerlo in braccio. Sono io lo zio.»

«Per ma va bene» gli dico.

«E tu chi sei?»

«Sorella.»

«Oppure?»

«Oppure quello che preferisci tu.»

Fuori la città è la stessa di quando sono nata, di quando è nato lui, di quando poche settimane fa è nato Romeo. Arriviamo e l'edificio è lo stesso dove era la casa editrice dei miei genitori. Facciamo le scale dei cinque piani e, anche se è sabato, l'ufficio che occupa gli spazi della casa editrice è aperto. Vedo dalla targhetta di bronzo che ora ci sono degli avvocati. Nell'arredamento riconosco mobili del mio passato in mezzo a oggetti del loro presente. Una reception. Altre luci. Non ci sono i libri. Io poi non ci sono più.

«Questo era l'ufficio dei nonni» dico a Nico.
«Quali, i miei?»
«Vabbè dai non importa.» Cambio discorso. Non è che gli devo spiegare ogni singola cosa. A un certo punto anche lui farà il suo percorso all'indietro e in avanti e dirà toh quindi questo era così, questo era cosà.

Arriviamo al quinto piano e mio padre e la sua fidanzata ci accolgono. Lei ha gli occhi gentili. Le gambe lunghe. In soggiorno c'è mezzo ufficio di mio padre. Invece di trasferirsi lui, ha traslocato qui quello che restava dell'ufficio. Al centro del soggiorno sta la culla e nella culla c'è mio fratello che dorme. Mia sorella Allegra ha cominciato la vita in un modo simile, con la culla nella minuscola stanza della casa editrice di mio padre e mia madre venticinquenni. Lo guardo.
«Che bel visin» dico.
La nonna che è in me ha un accento ridicolo. La dentiera. La cataratta. Molti anelli.
Mio padre si mette a giocare in corridoio a macchinine con Nico. Io parlo con la sua fidanzata. Parliamo di mio fratello. Ci scambiamo consigli da mamme copiati dalle nonne.
«Mangia bene?» le chiedo.
Lei annuisce. Mi dice che mio padre è bravissimo, a volte lei esce la sera e lo lascia solo con il bambino. Quando torna lo trova un poco nervoso ma comunque è proprio un padre bravissimo. Non le chiedo se quando torna trova nervoso mio padre o il bambino. Andiamo in cucina e mio padre prende una coca-cola per Nico. Dalla cucina si vede il terrazzo.
«Come stanno le piante?» chiedo alla fidanzata di mio padre.
«Non lo so» dice, «mi sono appena trasferita qui. Sono arrivata il giorno prima che nascesse Romeo.»
«Sapevo che l'albicocco era malato.»
«Ah sì?» mi dice.
Guardo fuori, e anche a impegnarmi, io in un albicocco la

malattia non la so ancora riconoscere. La fidanzata di mio padre non aggiunge altro. Non è che la mia conversazione in effetti sia avvincente. Quindi torniamo a parlare di bambini, regole, addormentamenti e idee sulle vaccinazioni.

«Adesso che hai quattro anni...» dice mio padre il padre bravissimo a Nico in corridoio.

«Ne ho cinque e mezzo» lo corregge lui.

«Ecco, appunto» dice mio padre il padre bravissimo. «Adesso dobbiamo vederci per fare le gare con le macchinine.»

«Va bene» gli risponde Nico.

Io spero che sia vero perché mi va bene tutto tranne che non si mantengano le promesse come questa. E anche la coca-cola comunque preferirei di no. Rimaniamo altri venti minuti. Mio fratello non si sveglia e gli tocco le mani. I suoi occhi chiusi sembrano semini. Lo guardo ancora e con il pensiero gli dico ben arrivato. Di che colore è la tua bic? Diventi alto in quale vaso tu?

Io e Nico salutiamo per bene mio padre e la sua fidanzata e scendiamo saltellando i cinque piani che ci riportano in strada. Siamo stati molto veloci. Siamo stati con loro e neanche ci siamo stati. Siamo di nuovo noi due. E sappiamo tutti e due già camminare molto bene.

«Io farò quattro figli o forse mille e te ne occuperai tu» mi ripete Nico.

«Ma loro vorranno te e la loro mamma.»

«Dovrò lavorare» mi dice Nico. «Sarò pilota, cameriere e direttore d'albergo. Se tu verrai in quell'albergo non ti farò pagare e ti darò una stanza d'oro.»

«Devono essere fredde le lenzuola d'oro.»

«Non le mie» dice Nico. «Oppure voglio fare il contadino così tu non dovrai fare la spesa.»

In ogni progetto Nico ha cura di me. Vuole per me lenzuola d'oro. Vuole che io non faccia la spesa. A volte vuole fare il vigile solo per non darmi le multe. In strada due persone litigano e urlano. Dicono un sacco di parolacce e digrignano vattene che ti ammazzo.

«Cosa sarà successo?» chiedo a Nico.

«Saranno fidanzati» dice lui.

Sono due maschi sulla sessantina, guidano due macchine diverse ma questa è l'interpretazione di Nico. Sono praticamente certa che ha visto litigare me e suo padre due volte al massimo e di sicuro non ci siamo urlati le parolacce o ti ammazzo.

Incontro Alessandro e mi racconta che aspetta un figlio dalla sua fidanzata Luisa. È un maschio e arriverà tra poco anche lui. Hanno quasi finito di mettere a posto la casa.

«Forse è una casa sbagliata» mi dice, «ma per ora va bene.» Bambini, case, scatole. «Sono diventato più grande.»

«Quindi quand'è che si diventa adulti?» gli chiederebbe Nico.

«Ho cominciato a scrivere di te e di noi, posso?» gli chiedo invece io.

«Non ho nessun problema circa il ricevere attenzioni» sorride.

Sono passati neanche due anni e le mani di Alessandro stringono gli oggetti, anche quelli piccoli, ha una fidanzata, un figlio in arrivo. Suo figlio arriva anche per me. È il mio figlio numero tre miliardi e uno. Nico sa scrivere sia Nico che Romeo. Maria ha un nuovo fidanzato, viaggia e la paura sta sparendo. Ha i capelli lunghi, ha fatto crescere lunghe spighe, rami e fiori ovunque è passata. Il mio terrazzo è pieno, carico, la foresta è qui e dappertutto.

«Ti mando da leggere quello che sto scrivendo» dico a Maria. «Parla di te e di noi.» Si agita, ha paura. «Leggilo con calma. Se non vuoi questa storia la cancello.»

Le mando i primi capitoli e ci mette molto tempo a richiamarmi.

«Ci ho messo molto tempo perché mentre leggevo ho ricevuto i risultati di certi esami. Sono andati male. Quindi non riuscivo ad andare avanti. Mi veniva da pensare che la storia, anche la tua dico, doveva finire bene. Non potevo credere di stare leggendo tutta questa maratona di cambiamenti che dovevano raccontarci qualcosa di semplice e sano di noi, e poi magari dovevi mettere che ero di nuovo malata.»

«Come stai?» le chiedo. Ho paura.

«Gli esami dopo erano a posto.» Sorride. «Ti chiamo perché il libro per ora può finire bene. Quando ci vediamo? Domani per esempio non piove.»

Stiamo fiorendo

Accompagno Nico a casa del mio ex marito e la pianta di avocado è immensa. Verde. Lucida. La sua fidanzata mi saluta. Anche lei è lucida e liscia. La casa è anche fatta dal loro avocado, che è il loro soffitto, la loro identità.

«Come sta l'avocado?» chiedo.

«Benissimo» mi risponde il mio ex marito.

Lo dice in un modo presuntoso e così sono invidiosa. Nico prende lo spruzzino dell'acqua e comincia a pulire le foglie dell'avocado. Potrei rubare l'avocado. O quantomeno rapirlo. Chiedere un riscatto. Oppure farne un albero enorme da me che ho il terrazzo. Poi il terrazzo cadrebbe. Insomma, tutte le solite cose che mi immagino.

«Come si cura l'avocado?» chiedo.

«La mia fidanzata è brava con le piante.»

Prima di andare via, con l'unghia incido una piccola linea su una foglia. Lei sa che io so.

Maria arriva sul mio terrazzo e le piante sono così cresciute che bisogna prendere alcune decisioni, non solo sono tante e sono grandi ma siamo anche pronte a regalarle. Tanto per cominciare vorrei colonizzare le scale e il cortile.

«Voglio colonizzare le scale e il cortile» le dico.

«Capisco bene cosa intendi» sorride. Lo dice come se fosse sempre stato il suo piano. Io sono solo una delle adepte del suo esercito. Pianifichiamo una strategia e decidiamo quali piante spostare e quali vasi dobbiamo lasciare fuori da questo terrazzo. Mi spiega da cosa mi devo separare anche se non vorrei.

«Qui da te non possono diventare più grandi di così. Devi lasciarle andare.»

Così scegliamo, lasciamo andare. Mi accordo con lei su una data in cui verrà con un maschio forzuto a fare tutto. Quella sera, mentre sono a Londra, mi arriva la sua lettera.

Anna,
oggi eravamo in tre perché Pino, l'uomo che mi doveva aiutare, aveva mal di schiena e allo stesso prezzo si è portato un fanciullo in più, però alla fine ha lavorato anche lui. Abbiamo diviso e rinvasato fotinia, lauro, gelso, alloro. Abbiamo smontato e rimontato i treillage penzolanti dove ci sono i gelsomini, che sono stati mondati e rimessi su. Erano attaccati con lo sputo, ora li abbiamo sistemati bene e soprattutto dal lato giusto. Li troverai più spogli ma è solo una botta di vita. A quel punto avevamo liberato la parabolica ma era al di là delle nostre possibilità rimuoverla e andava sbullonata. Più spostavamo e più emergevano gelsomini dal nulla. Abbiamo aggiunto il plumbago, la rosa mermaid, la bignonia. Ti ricordi quel legno un poco marcio che stava in castigo oltre la ringhiera? Lo abbiamo ripreso, tolto tutto il brutto (delle arelle di bambù ormai alla frutta) e ne è emerso un altro treillage piuttosto in forma, che è stato montato con il secondo gelsomino. Alloro, lauro e lonicera sono stati messi a barricare sotto la rosa. Non ho fatto foto perché appena abbiamo finito è scoppiato il temporalone che minacciava da tutto il giorno. Il che comunque è un bene, perché la pioggia dopo i rinvasi è una manna dal cielo. Abbiamo grattato sotto i vasi. Abbiamo acidificato con la torba. Spostato il ligustro aureo. Piantato un trachelospermo asiaticum che ti coprirà la finestra. Giù abbiamo spostato i rododendri, l'azalea, l'alloro e il lauro. Sempre su abbiamo riempito una fiorierona con varie erbacee (erysimum bowles mauve, festuca amethystina, ballota, stipe) e con la rosa che ti ha regalato la babysitter di Nico. Abbiamo aggiunto un

eupathorium nel vaso dei gelsomini e una pteroragia col corbezzolo. Ah, abbiamo anche tolto una canalina di plastica rotta che scorreva sul lato sinistro e che domani porto in discarica. In tutto abbiamo fatto sei sacchi e qualche mastello di residuati bellici. E pensa che l'unico davvero malmesso era l'osmanthus. Ecco perché sono un po' cotta. L'unica cosa che ti spiegherò meglio a voce è che spostando e pulendo si notano ancora meglio alcune magagne strutturali: un crepone sul comignolo, un'infiltrazione sulla guaina del tetto e altre cose che è giusto segnalarti tipo cavi di antenne super precari che penzolano un po' ovunque e il tubo dello scarico dell'acqua che perde nel parcheggio (lo abbiamo visto sporgendoci, quando le piante non c'erano più). Comunque, a parte ciò, eravamo soddisfatti e contenti. Tutto appare più ordinato e pulito e pronto per la stagione. La casa è stata chiusa con check e double check. Perdona l'elenco ma così sei informata. Vedrai ogni cosa quando torni e faremo i ritocchi insieme. Domani Pino ti manda la fattura. E anche io. Baci, Maria

Se ci siamo tutti rinvasati, se abbiamo tutti trovato un nuovo posto dove metterci e se siamo semi come i girasole che Nico ha piantato, questo è il periodo dell'anno in cui stiamo fiorendo. Per fortuna mi sono messa in un posto nuovo, dove il sole batte bene. Posso quindi diventare molto alta e molto gialla. Posso fare semi per i merli. In quanti possono dire di saper fare semi per i merli?

Devo tornare dall'Inghilterra e molti voli vengono cancellati per via di una tempesta che si chiama Gea. Mi sembra un segnale inquietante. Da Londra a Milano ci sono vento, grandine, nuvole giganti ma il mio volo viene confermato. Mi siedo sull'aereo. Parlo al pilota. Lui mi rassicura, però dice: «Stiamo a terra un'altra ora perché in Francia hanno appena bloccato tutto».

Gli chiedo se devo scendere e gli spiego molto sinceramente che non voglio morire. Mi dice che non devo scendere. Oggi non morirò, domani però non lo sa. Non può assicurarmelo. Mi siedo al mio posto.

«Potrei morire in una tempesta che si chiama Gea» avverto mia madre.

«Proprio perché si chiama Gea non morirai» dice lei.

«Nel caso potrebbe essere la fine del mio libro. Scrivila tu.»

«Ok» mi dice mentre sgranocchia qualcosa e comincia a distrarsi. Decollo. L'aereo è solido in mezzo ai fulmini. Atterro e a quanto pare sono ancora viva.

Organizziamo una festa di compleanno per me a casa di mia madre. Ci sono anche mia nonna, mia sorella Diana, mio fratello, sua moglie, la piccola Gea non tempesta, Nico. Il mio bellissimo fidanzato. Nel cortile tiriamo fuori il ping-pong che almeno qui possiamo avere, accendiamo i lumini, ci prepariamo vodka e bicchieri di vino. Portiamo fuori il cibo. Nico con un mangiadischi anni Sessanta di quelli da picnic ci fa ballare. Mr Bharat dorme a casa di mia madre e, quando torna dal suo lavoro di ricerca macchine vecchie da far rinascere, si unisce alla festa. Gli piace molto come si cucina a casa nostra e mangia tanto. A tutti noi fa piacere quando qualcuno mangia tanto a casa nostra. Mr Bharat ci illustra le unghie adesive che produce in una delle sue fabbriche in India e ce le appiccica sulle dita. Ci rispiega come appiccicare le unghie almeno millesettecento volte ma noi continuiamo ad ascoltarlo come se stesse ripetendo un mantra e ci stesse insegnando una meditazione rivoluzionaria. Si stacca, si appiccica, si schiaccia. Deve essere una questione di tono della voce e sorriso indiano. Arriva anche mio padre. Mio padre e Mr Bharahat, mentre mia madre balla il twist con Nico, giocano a ping-pong. Mio padre e Mr Bharat, tra loro e in generale, parlano un inglese assurdo. Sanno poche parole, hanno accenti marcati, pause eterne. Mio padre vuole vincere. Ride, ma vuole vincere. Quando sbaglia emette un suono strano e dice: «Bravo, cazzo». Anche quando poco dopo sta giocando con mio figlio, dice: «Bravo, cazzo». A turno tutti sfidano tutti. Io bevo i bicchieri che mi vanno giù e sono felice perché mia madre balla il twist. E perché anche mio padre continua a mangiare.

Mi cantano tanti auguri e soffio le candeline.

«Esprimi un desiderio» urlano.

Temo sempre se lo dimentichino e che non avrò la mia occasione di esprimere un desiderio. Sorridono e mi guardano. Li guardo uno a uno e sorrido anche io. Siamo tutti alti diversi, tutti questi nasi, i nostri occhi, il nostro inizio e la nostra fine. Provo moltissimo amore e sento anche moltissima distanza: non finiremo mai, non sono mai stata qui, eccomi. Non ho cominciato niente, con me non si conclude nulla. Esprimo il solito desiderio di sempre e che non si può dire da sempre ma per fortuna si avvera di continuo. Che poi non so se si possa parlare di fortuna visto che mi impegno così tanto a non lasciare neanche una candelina accesa. Quindi direi che si tratta di un lavoro fatto per bene, fino in fondo.

«Many happy returns» mi dice Mr Bharat. Non l'avevo mai sentita questa frase che si usa nei compleanni in India. «Torna tante volte felicemente.» Incarnati molte altre volte, nelle future vite, felicemente. Mi sembra più azzeccato del nostro "tanti auguri", soprattutto durante tutto questo andare e venire.

Quella notte io, il mio fidanzato e Nico rimaniamo a dormire da mia madre.

«Many happy returns» ci ripetiamo a turno.

«Chi è la mia persona preferita della terra, il mio amore assoluto?» chiedo a Nico.

«Te stessa» dice immediatamente lui. Lì per lì mi viene sia da ridere che da piangere.

«E chi è la tua persona preferita della terra, il tuo amore?» gli chiedo mezzo secondo dopo.

«Me stesso!» dice lui. Allora riprendo a respirare.

Quando mi risveglio, la cartomante sta cucinando il curry. Fuori è buio. La carta da parati è tutta coperta di foglie d'avocado. Pappagalli. Vedo anche una zebra.

«Tutto bene?» mi chiede. Annuisco. Sono sdraiata di fianco a un quarzo rosa nuovo, grande tre volte me. «Devi fermarti» dice la cartomante.

«Non posso: voglio tutti, andare da tutti, vedere tutto.»

«Avrai una bambina femmina. Invecchierai. Tuo figlio si sposerà giovane. Il libro esisterà. Questo che tu lo voglia o meno e che tu ti muova o meno.»

Conto fino a cento. Poi duecento. Respiro alla maniera yogica. Sbatto le palpebre veloce.

«Hai finito di fare queste scene?» mi chiede la cartomante.

Smetto di sbattere le palpebre veloce e di cercare di svegliarmi da un sogno. Accarezzo il tavolo. Annuso il legno.

«Fossi in te intanto mangerei il mio curry. La sera vendo cibo indiano a domicilio.»

«Sei indiana?» le chiedo.

«Jamaicana» risponde lei. La aiuto ad apparecchiare e lei mi serve il curry di verdure, il riso e tè bancha. Compaiono dei fiori nel lavello. Li organizzo, li metto in un vaso.

«Mangi anche tu?» dico io.

«Ti guardo» dice lei e mi guarda mangiare il più buon curry della mia vita. Lo mastico e quando sono sazia sparecchio, lavo la ciotola e le posate. Visto che non mi dice nulla, copio quello che fa e così impacchettiamo una decina di porzioni di curry e una decina di porzioni di riso. Ci vestiamo, spegniamo le luci e usciamo. Si gela.

«Monta» mi dice. Indica una motoretta arancione.

«Brr» sussurro io.

«Yuhuu!» urla lei.

Mi siedo dietro e per un paio d'ore consegniamo il curry mappando con il nostro movimento la città di Londra. Gli occhi mi si riempiono di lacrime. Quando il vento non tira troppo piego il collo all'indietro e sopra di me guardo scorrere i lampioni, le luci dei tunnel, i neon degli uffici. A mezzanotte mi accorgo di essere sotto casa del mio fidanzato. O forse, sotto casa mia.

«Ah» dico. «Siamo a casa.»

La cartomante mi abbraccia forte. Mi faccio abbracciare.

«Abbracciami anche tu!» sorride lei.

E così la abbraccio anche io.

«Grazie» le dico, poi aggiungo: «Quanto ti devo per le carte, il curry e per tutto?»

«Allora, cinque per cinque. Sei meno uno. Quanto fa?» Conta sulle dita e poi esplode: «Un miliardo! Ce l'hai?».

Faccio no con la testa.

«Dài, diecimila miliardi e non se ne parli più. Me li porti la prossima volta. Immagino che tu non li abbia in tasca» dice. «O li hai in tasca?»

Mi frugo nelle tasche. Magari qualcosa ho. Faccio no con la testa.

«Guarda bene» ride lei. Allora frugo ancora e una piccola scaglia di qualcosa mi incide il dito.

«Ahia» dico.

Avvicino il dito agli occhi e intravedo un minuscolo pezzettino di quarzo rosa ficcato sotto la pelle, a tagliare la mia impronta digitale. Mi infilo il dito in bocca, inghiotto il pezzettino di quarzo. Quando rialzo gli occhi la cartomante non c'è più e la mia impronta digitale è cambiata per sempre.

Prima di sparire

Sono a casa con Nico, stiamo disegnando gli inviti per una festa che vuole fare all'albero storto del parco. Oggi ha pianto perché alcuni compagni di classe gli hanno detto che se non vanno alla sua festa sono più felici. Per non farmi vedere che piangeva si è ficcato le dita al bordo degli occhi, dove poteva bloccare le lacrime. Mi ficco le dita negli occhi anche io. Lui non vuole farmi vedere che piange e io non voglio fargli vedere che piango. Propongo a Nico di fare un laboratorio di verdure sul terrazzo, al posto della festa all'albero storto. Possiamo invitare trenta bambini o tre miliardi, quanti ne vuole, mi va bene tutto. Finge di non sentirmi. Potrei anche non averlo mai detto in effetti.

«Sei libera?» mi chiede mia sorella Diana al telefono. «Volevo raccontarti una cosa.»

«Ok, vai.»

«Ieri sera ero in bicicletta, ho visto due moto per terra e un'ambulanza. Le moto mi sembravano quelle di Alessandro e del suo migliore amico Tommaso. Allora ho chiamato Alessandro.»

Prendo Nico in braccio. Vuole stare in braccio e non vuole disegnare se non disegno anche io.

«Il telefono ha squillato e lui mi ha risposto. Come stai, gli ho chiesto. Bene, mi ha detto. Meno male, gli ho detto io, sono in via Eustachi e ci sono a terra una moto come la tua e una come quella di Tommaso. Dall'altro lato del filo c'è stata una pausa. Poi Alessandro mi ha detto: sono nell'ambulanza. La moto è mia.»

«Come sta? Come stanno?» le chiedo.

Ho paura. Nico mi bacia e si rimette a disegnare. Vuole disegnare anche se io non disegno.

«Sono salita sull'ambulanza anch'io e Alessandro mi ha detto: devi chiamare tua sorella! Voleva che te lo facessi sapere per il tuo libro» ride lei. «Si sono spaventati molto ma stanno bene. Era colpa della signora che guidava, ha preso un rosso pieno. Alessandro ha detto che mentre volava ha pensato a suo figlio.»

«Ora dove sono?»

«All'ospedale. Il solito. In ambulanza abbiamo fatto uno show perché mi hanno chiesto se ero la moglie e se Alessandro mi voleva lì. Alla fine ha dovuto spiegargli che non è che non mi volesse lì ma c'era qualcun altro adesso, la moglie non ero più io. Insomma, anche nel delirio eravamo come al solito noi ma non eravamo più noi.»

Quando metto giù scrivo ad Alessandro: "Non avevo bisogno di una chiusura per il libro con un incidente. Grazie per l'aiuto ma ora puoi tornare a casa da tuo figlio e smantellare quella cavolo di moto. Andiamoci piano. Ti abbraccio, Anna".

Io e Nico quella notte ci infiliamo nello stesso letto. È diventato alto. Parla nel sonno e così rimango sveglia. Prendo il telefono, faccio due squilli e il mio ex marito mi risponde. Gli dico che Nico era triste per i suoi amici.

«Non ti preoccupare. Cose da maschi. Da adesso a sempre succederà. Nico è molto sensibile, ha una mamma sensibile, un papà sensibile, il tuo fidanzato è sensibile, la mia fidanzata è sensibile, i nonni sono sensibili, ha solo persone sensibili attorno» mi dice. «Poveraccio, quanta sensibilità.»

«E questo non è bene?» chiedo io.

«Anche arrabbiarsi ogni tanto è bene. Comunque tutte le volte che sei preoccupata chiamami.»

Se sono preoccupata posso chiamarlo di nuovo. Siamo ora a quella distanza in cui è concesso. Il mattino dopo telefono a Maria per raccontarle l'incidente.

«Raccontamelo mentre sistemo le piante» dice. «Così mi autofaccio ortoterapia.»

La ascolto aprire la porta, uscire in giardino. Sento gli uccellini, il vento. Immagino la tartaruga moncherina arrancare vicino a lei. Forza, tartaruga!

«Non siete collegati per sempre» dico per invitare alla conversazione anche l'elefante nella stanza. Si affaccia la Roland Ultra simulando ancora una volta di essere un animale. «Adesso non è che succede qualcosa a te perché Alessandro ha avuto un incidente, ok? Anzi, rimettiamo in scena tutto. Lui fa il volo ma non si rompe. Io te lo racconto con calma e senza troppi aggettivi. Tu mi ascolti e non accade nulla.»

«L'altra volta sono stata male dodici ore dopo il suo incidente. Quante ore sono passate adesso?» chiede lei. Ha la voce impaurita ma vuole restare tranquilla. Alessandro sta bene. Anche lei sta bene. Loro due non sono connessi. O sono connessi ma non in quel senso drammatico e mortale. O anzi sono connessi anche in quel senso drammatico e mortale ma non è che se si fa male uno si farà male l'altro. Sciami. Irrigazione. Foresta.

«Sono già passate almeno quindici ore» le dico.

«Magari però ne erano passate quindici anche quella volta e non mi ricordo bene.»

Parliamo d'altro. Della sua lavastoviglie. Del suo fidanzato. Apposta e con dedizione, ci distraiamo. Qualche minuto dopo Alessandro mi scrive: "Sto incredibilmente bene. Illeso. Ho pure passato la notte al pronto soccorso di fianco a una pornostar".

L'estate è tornata di nuovo, Nico sta finendo l'asilo, dopo le vacanze sarà ora di andare alle elementari. Vorrebbe che nel mondo non ci fossero i soldi così non ci sarebbero le guerre. Scrive anche una canzone di sei minuti a questo proposito e mi chiede di mandarla al sindaco di Milano. La mando al sindaco di Milano. Passano due settimane e ogni giorno Nico mi chiede se il sindaco di Milano ha risposto. Io gli spiego che il sindaco è impegnatissimo e che probabilmente non risponderà ma non perché non ha ascoltato. Semplicemente non ha davvero il tempo. Quindi è con grande stupore che allo scadere del quindicesimo giorno apro la mia email e scopro che il sindaco di Milano ha risposto. Nico è felice della lettera come delle cartoline di me da lontano o quelle finte di Babbo Natale. Se si scrive a qualcuno, arriva una risposta. Se si esprime un desiderio, il desiderio viene esaudito. Se si è lontani, ci si scrive ti amo. I semi fanno i girasole che fanno i semi.

Io e Nico abbiamo moltissimi fiori. Moltissimi fichi che mangio ogni giorno e che Nico ancora non assaggia. I limoni sono così tanti che non riusciranno a maturare tutti: la pianta non può reggere così tanta frutta. L'echinacea è forte, la lavanda alta e molto profumata. Le edere stanno coprendo i muri e nel giro di qualche anno faranno molte crepe. Coi limoni Nico prepara limonate e diciassette varietà di pomodoro crescono nei nostri vasi.

«Tante persone pensano che una pianta con molti frutti sia per forza sintomo di salute» mi spiega Maria. «Non sai quante volte dicono non capisco come possa essere morta, stava così bene, era piena di fiori, era piena di frutti.»

«Questa cosa che stai per dire so già che mi piacerà.»

«Le piante devono sopravvivere e l'ultima possibilità che gli rimane è mettere al mondo più figli possibile. Buttano fuori tutto quello che possono, prima di sparire. Quindi a volte un'esplosione di fiori o frutti precede la morte della pianta.»

Sui giornali in quei giorni le foto dell'emergenza meduse riempiono le pagine. Il mare è rosa per la gelatina di teste e tentacoli che bruciano. Io e Nico dovremmo seriamente cominciare un allevamento di tartarughe e occuparci di trasportarle nei mari. Le tartarughe si mangeranno le meduse e noi ci sdraieremo di nuovo a fare il morto sul filo dell'acqua. Potremmo avviare un allevamento di tartarughe, corsi di giardinaggio per i bambini e cancellare i soldi dal pianeta terra. Tutti i sindaci ci diranno di sì e ci scriveranno lettere.

«Perché il tempo passa veloce?» mi chiede spesso Nico.

«Non lo so» rispondo sempre io.

«Perché non lo sai?»

«Non so neanche perché non lo so.»

Nico nel mondo sta spesso accosciato come stanno accosciati tutti i bambini e dove lui sta io guardo. I venti centimetri di altezza dal pavimento, le formiche, le briciole, i peli e gli scarti non li vedrei se non ci fosse lui a illuminarli con il suo sguardo, a toccarli con i suoi polpastrelli. Tocca più cose che puoi! Resta! Butta fuori la frutta prima di sparire.

«Mi mancherai» mi dice ora Nico quando devo partire.

«Anche tu mi mancherai» dico io.

«Piangerai?» mi chiede.

«Forse.»

«Io piangerò.»

Se partiamo insieme invece mi stringe la mano. Cammina sicuro e quando arriviamo sull'isola io e Nico siamo soli e questo ora ci piace. Il mio fidanzato arriverà più avanti ed è così che vogliamo. Nei primi giorni rimaniamo a terra, seduti sulla sabbia o sugli scogli, guardiamo l'acqua solo da lontano. Alla fine ci decidiamo e affittiamo il pedalò. Da questa nuova spiaggia e salvi sopra l'acqua studiamo la situazione. Certe baie e certe cale sono state conquistate dalle meduse. Galleggiano. Si spostano. Fluttuano e ci fanno paura. Si toccano l'una con l'altra e tutta la galassia è loro e tutto il pianeta è fluo. Mi guardo intorno e non c'è nessuno. Pedaliamo di nuovo verso la spiaggia senza poterci tuffare. Restiamo sulla sabbia con le ginocchia puntate nel mento. Dobbiamo architettare qualcosa.

«Scrivi?» mi chiede mia madre al telefono.

È al viva voce, sto guidando di nuovo verso casa. La montagna di sale è dietro di noi.

«Sempre!» le risponde Nico dal sedile dietro.

Ridiamo tutti e tre e parliamo di altro. Dei libri che stiamo leggendo e di come mangia Nico. Dei giochi che vuole per il suo compleanno e di quanto freddo fa oggi e quanto caldo fa oggi. Fa freddo e caldo come sempre in questo mese e solo come oggi, esattamente e soltanto oggi e solo per noi, in questo punto dell'universo, nei nostri centimetri quadrati e sulla nostra pelle.

Il mattino dopo io e Nico comperiamo due retini.

«Il sogno della mia vita è raccogliere meduse» mi dice lui.

«Non lo sapevo» gli dico io.

«Neanche io.»

Poco prima del tramonto, quando la luce del sole illumina meglio le meduse, prendiamo di nuovo il pedalò. È un pedalò buffo, a forma di macchina rossa, con sopra uno scivolo. Pare la Roland Ultra in miniatura. L'ha scelto Nico perché è rosso e perché ha una macchina con sopra uno scivolo. Io preferivo quello azzurro senza macchina e senza scivolo. Pedalare da sola fa male alle cosce. Nico tiene i piedi appoggiati ai pedali e non riesce ad aiutarmi. Quando non avrò più forze come lo aiuterò? Riuscirò a non farlo morire? Riuscirà a non farmi morire? Pedaliamo ancora, il mare sotto di noi scorre veloce e scegliamo la baia più infestata di tutte. Sotto l'azzurro vive una distesa di rosa. Nel nostro corpo cerchiamo di tenere tutto l'amore del pianeta terra mentre la terra intanto si allontana. Lego il pedalò a uno scoglio che ha la forma di un cuore. Su questa terra e per questo tempo siamo passati anche noi. Ci mettiamo con la pancia in giù e teniamo gli occhi puntati verso il fondo del mare. Il sole ci scalda le scapole e la nuca mentre restiamo qualche minuto così, a guardare la meraviglia della profondità. Poi ci sediamo per bene e cominciamo a pescare meduse.

«Aspetto una bambina» gli dico.

«Dove la aspetti?» mi chiede lui.

«Dove sei tu.»

È felice. Sopra di noi passa un razzo. Un dirigibile d'argento. Subito dopo arriva anche una navicella spaziale.

«Grazie» dico a Nico indicando il cielo.

Lui mi guarda, sorride e si rimette a pescare.

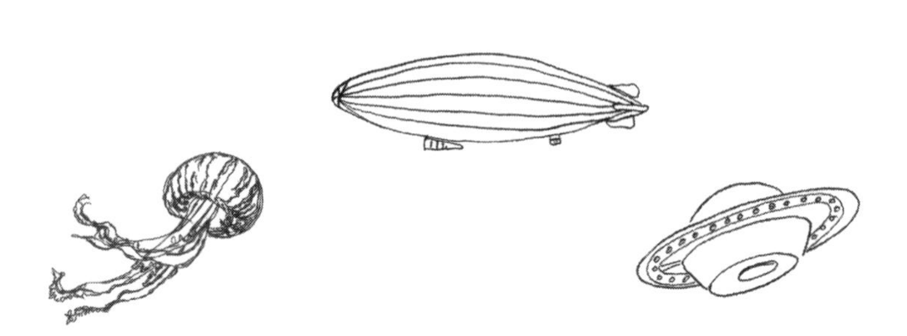

la Roland più bella che mai

Indice

Mondadori Libri S.p.A.

Questo volume è stato stampato
presso ELCOGRAF S.p.A.
Stabilimento - Cles (TN)

Stampato in Italia - Printed in Italy